Abraham et Isaac

LÁSZLÓ BITÓ

Abraham et Isaac

traduit du hongrois par Georges Kassai

roman biblique

LES INTOUCHABLES

Les Éditions des Intouchables bénéficient du soutien financier de la
SODEC, du Programme de crédits d'impôts du Gouvernement du
Québec, du PADIÉ et sont inscrites au Programme de subvention globale
du Conseil des Arts du Canada.

LES ÉDITIONS DES INTOUCHABLES
1463, boulevard Saint-Joseph Est
Montréal, Québec
H2J 1M6
Téléphone : (514) 526-0770
Télécopieur : (514) 529-7780
info@lesintouchables.com
www.lesintouchables.com

Distribution : Prologue
1650, boulevard Lionel-Bertrand
Boisbriand, Québec
J7H 1N7
Téléphone : (450) 434-0306
Télécopieur : (450) 434-2627
www.prologue.ca

Impression : Scabrini Média
Infographie et maquette de couverture : Olivier Boissonnault
Illustration de la couverture : Caravagio

Dépôt légal : 2003
Bibliothèque nationale du Québec
Bibliothèque nationale du Canada

ISBN 2-89549-098-8

PREMIÈRE PARTIE

La naissance d'Isaac

Le Seigneur intervint en faveur de Sara comme il l'avait dit, il agit envers elle selon sa parole. Elle devint enceinte et donna un fils à Abraham en sa vieillesse à la date que Dieu lui avait dite. Abraham appela Isaac le fils qui lui était né, celui que Sara lui avait enfanté. Il circoncit son fils Isaac à l'âge de huit jours comme Dieu le lui avait prescrit. Abraham avait cent ans quand lui naquit son fils Isaac. Sara s'écria : « Dieu m'a donné un sujet de rire ! Quiconque l'apprendra rira à mon sujet ».

Genèse 21, 1-6

Chapitre I

[Abraham] leva les yeux et aperçut trois hommes debout près de lui. À leur vue il courut de l'entrée de la tente à leur rencontre et se prosterna à terre.

Genèse 18, 2

Ils lui dirent : « Où est Sara ta femme ? » Il répondit : « Là, dans la tente ». Le Seigneur reprit : « Je dois revenir au temps du renouveau et voici que Sara ta femme aura un fils. » Or Sara écoutait à l'entrée de la tente, derrière lui. Abraham et Sara étaient vieux, avancés en âge, et Sara avait cessé d'avoir ce qu'ont les femmes. Sara se mit à rire en elle-même et dit : « Tout usée comme je suis, pourrais-je encore jouir ? Et mon maître est si vieux ! » Le Seigneur dit à Abraham : « Pourquoi ce rire de Sara ? Et cette question : "Pourrais-je vraiment enfanter, moi qui suis si vieille ?" Y a-t-il une chose trop prodigieuse pour le Seigneur ? À la date où je reviendrai vers toi, au temps du renouveau, Sara aura un fils. » Sara nia en disant : « Je n'ai pas ri », car elle avait peur. « Si, reprit-il, tu as bel et bien ri. »

Genèse 18, 9-15

– Je te demande d'avoir l'obligeance de m'indiquer le chemin qui conduit à la tente d'Abraham, le prophète des Hébreux, et de son épouse, Sara.

Tout en la regardant du haut de sa monture, un chameau de grande race richement orné, c'est en ces termes obséquieux que le plus jeune des trois voyageurs aborda Mahaar, la servante égyptienne. Celle-ci, dont la démarche altière contrastait avec la simplicité de sa mise – elle portait une ample tunique usée jusqu'à la corde –, se dirigeait vers la fontaine pour y remplir sa cruche. Il avait suffi à l'étranger d'un seul regard pour comprendre qu'il avait affaire à une lointaine descendante d'une tribu ancestrale établie au bord du Nil, à une jeune fille issue d'une famille aristocratique, dépouillée de sa fortune par les nouveaux riches, marchands, scribes et astrologues de la cour du pharaon, mais ayant su garder toute sa dignité.

La jeune fille aux traits délicats, aux sourcils fins, aux yeux noirs et à la peau olivâtre lança à l'homme un regard espiègle : connaissant manifestement la réponse, elle ouvrit la bouche, mais aucun son ne sortit de ses lèvres. Sa provocante beauté n'avait pas échappé au jeune marchand étranger ; cependant, venu avec ses compagnons pour traiter d'une importante affaire et n'ayant pas de temps à perdre en galanteries, il était visiblement contrarié par le mutisme et la méfiance de Mahaar.

– Je m'appelle Nohaykem, dit-il sur le ton péremptoire de l'homme persuadé que tous les habitants de la terre de Canaan, y compris cette servante de bergers hébreux, connaissaient son nom. Pour l'inciter à parler, il lui adressa un sourire de routine style marchand ambulant, tout en laissant, comme par hasard, s'écarter les pans de son manteau, découvrant ainsi un superbe vêtement brodé de fils multicolores et qui, sans doute, n'avait pas son pareil dans la région.

Montés sur des chameaux bien moins imposants, ses deux compagnons le suivaient à une certaine distance. Leur modeste apparence ne faisait que mieux ressortir la beauté virile et les manières seigneuriales du jeune homme. Plus âgés que lui, enveloppés de leurs caftans noirs, ils ne disaient mot. Pour dissimuler l'expression maussade de leur visage, ils s'efforçaient de le maintenir dans l'ombre de leur couvre-chef.

– Nous sommes très pressés ! C'est d'une affaire de la plus haute importance dont nous devons entretenir Abraham, le roi de la tribu des Hébreux, qui parcourt en ce moment la région. Peut-être appartiens-tu toi-même à sa maisonnée ?

Voyant que son sourire, ses paroles flatteuses et son vêtement éblouissant se révélaient insuffisants pour délier la langue de la servante, qui le considérait à la fois avec un mépris royal et avec la curiosité propre à la gent féminine, Nohaykem commença à manifester des signes d'impatience.

– Conduis-nous immédiatement auprès de lui, si tu sais où il se trouve, commanda-t-il sur un ton rugueux.

– Et Abraham connaît-il ton nom ? L'as-tu déjà rencontré ? demanda-t-elle calmement, avec un petit sourire ironique.

Élevée avec des nomades, elle avait appris à se méfier de tout étranger. En outre, d'une certaine façon, ces deux personnes que, sans qu'elle sût pourquoi, les voyageurs voulaient voir de toute urgence, lui étaient proches.

Mahaar était la sœur de Hagar, la servante égyptienne, connue dans tout Canaan pour son extraordinaire beauté et pour sa gentillesse, et que Sara, la première femme – stérile – d'Abraham, et en même temps sa demi-sœur du côté paternel, avait offert à ce dernier comme seconde épouse.

Si elle hésitait à répondre à l'étranger, c'était aussi parce que, dès que cet homme de belle prestance avait ouvert la bouche, Mahaar avait compris qu'il était, comme elle, originaire de la région du Nil. En témoignaient les traits de son visage, ses vêtements prestigieux, ses bijoux ciselés avec art, et le fait d'avoir abordé la jeune fille dans la langue maternelle de celle-ci, qu'il parlait toutefois avec un léger accent étranger. Mais Mahaar savait aussi qu'Abraham et le fils de son frère, Loth, avaient été mêlés à de troubles affaires avant que, Sara étant tombée en disgrâce auprès du pharaon, ils eussent été tous expulsés d'Égypte.

– C'est Loth, le fils de son frère, qui nous envoie chez Abraham, expliqua Nohaykem. Je n'ai pas encore eu l'insigne honneur de voir de mes propres yeux le célèbre prophète, l'émissaire sur cette terre du Dieu unique et qui, récemment, s'est révélé à lui. Cependant, mes deux compagnons l'ont rencontré il y a quelques années, lui et son épouse Sara. Il faut que nous leur parlions le plus tôt possible. C'est Loth qui le demande, celui-là même qui a échappé si miraculeusement à la destruction de Sodome. Tu as sûrement entendu parler de cet événement.

En montrant ainsi qu'il était au courant des affaires familiales d'Abraham, Nohaykem espérait dissiper la méfiance de la jeune fille.

– Loth nous a lui-même indiqué le chemin. Il nous a assuré, ajouta-t-il sur un ton presque menaçant, que n'importe quel passant nous conduirait auprès de ses parents bien-aimés.

– Vous êtes sur le bon chemin, répondit enfin Mahaar en hésitant. Plutôt que son sourire et ses manières polies, c'est le ton impérieux de l'étranger qui l'avait décidée à abandonner sa réserve. Voici sa tente, elle domine toutes les autres, continua-t-elle, malgré elle, et le vieillard à la longue barbe blanche qui se tient debout devant le seuil est Abraham lui-même. Si tu le veux, ajouta-t-elle, impatiente de connaître les intentions des trois étrangers, je peux vous y conduire, dès que j'aurai rempli ma cruche.

Mais sans perdre de temps, le jeune paon fit signe à ses compagnons et les trois hommes foncèrent à toute allure vers la tente d'Abraham.

– Que peut-il bien mijoter, ce Loth ? Il faut que j'aille prévenir ma sœur, se dit Mahaar tout en chargeant sur ses épaules la cruche désormais pleine. Mais elle la reposa aussitôt sur la margelle en apercevant une vieille décrépite s'avancer péniblement vers la fontaine. C'était la servante la plus intime de Sara, que – bien qu'elle fût manifestement de la tribu des Hébreux – tout le monde ici désignait par son nom égyptien, Hafri. Informée de tout ce qui se passait au campement, elle rapportait fidèlement à sa maîtresse les renseignements qu'elle recueillait. Pour laisser passer les trois étrangers qui s'éloignaient au galop, elle fut obligée de quitter à la hâte l'étroit sentier serpentant au milieu des prés rocailleux parsemés de quelques rares touffes d'herbes. Consternée, la vieille aux jambes arquées suivit des yeux les visiteurs qui, bien entendu, ne l'avaient point remarquée.

– Que viennent faire ici ces deux charlatans ? demanda-t-elle à Mahaar sans même la saluer.

– De qui parles-tu ? Le plus jeune est sûrement égyptien, il parle bien notre langue. Les deux autres, ces vieux épouvantails, n'ont même pas ouvert la bouche.

– C'est d'eux que je parle ! Je les ai déjà vus chez ma maîtresse Sara ! Il y a plusieurs années de cela… nous errions quelque part sur la terre de Canaan… où donc, exactement ? C'est au-delà des collines de Rabok que nous faisions paître nos maigres troupeaux, quelque part près de Luz, peut-être entre Luz et Aï, dans le désert de Néguev, peu après qu'Abraham et Sara, c'est-à-dire Abram et Saraï, comme on les appelait à l'époque, eurent quitté leur famille et se furent mis en route pour suivre l'appel de leur Dieu.

Elle poursuivit, intarissable :

– C'est à cette époque que le Dieu unique s'est révélé à Abraham. Peu de temps après, ces deux goujats, qui viennent de m'écarter si grossièrement de leur chemin, ont rendu visite à ma maîtresse. Ils ont traîné plusieurs semaines chez elle et lui ont fait boire toutes sortes d'élixirs et de breuvages miraculeux, jurant leurs grands dieux qu'elle accoucherait d'un garçon. À l'époque, je n'étais qu'une jouvencelle, mais je serais encore capable de reconnaître le balafré. Et je n'oublierai jamais le jour de leur départ, ni leurs chameaux chargés d'or et de trésors. Dire que tout ça n'a servi à rien, car ma maîtresse n'a jamais enfanté.

Mettant sa main en visière, Hafri vit Abraham s'incliner jusqu'à terre devant les trois inconnus, avant de les inviter dans sa tente. Elle assista à la scène, muette et contrariée, puis elle reprit :

– Serait-il possible que ma pauvre maîtresse n'ait pas abandonné tout espoir ? demanda-t-elle, incrédule, à Mahaar. Que je sois foudroyée si je mens, elle a quatre-vingt-dix ans bien sonnés et cela fait bien longtemps qu'elle n'a plus sa féminité. Croirait-elle toujours, la pauvre, à la promesse que lui a faite leur Dieu unique à une époque où l'ardeur de la jeunesse brûlait encore dans leurs veines ? S'imaginerait-elle que la semence d'Abraham puisse féconder sa matrice desséchée ? Voilà des années que notre maître n'a pas partagé sa couche, et certainement pas depuis que ta sœur, cette beauté, lui a donné un fils, Ismaël. Donc, depuis au moins dix ans déjà. Il faut dire que pour un bel enfant, c'est un bel enfant ! Abraham tient à lui comme à la prunelle de ses yeux !

Sa bouche édentée se fendit en un large sourire mielleux. En flattant ainsi la famille de Mahaar, elle espérait pouvoir retenir celle-ci et apprendre ce que lui avaient dit les charlatans. Sa curiosité la tenaillait d'autant plus que, depuis de longs mois, aucun étranger digne d'intérêt n'était venu visiter ces lieux.

– C'est donc pour ça que Sara se fait du mauvais sang, dit Mahaar. Elle parlait à mi-voix, mais, douée d'une ouïe fine, Hafri l'entendit.

– Cela n'aurait rien d'étonnant, remarqua-t-elle, non sans amertume. Ma pauvre maîtresse ne profite guère de son mari, depuis qu'il passe ses journées avec Ismaël, le fils que ta sœur lui a donné, et ses nuits avec ta sœur elle-même.

– Oui, je le sais bien, ils sont comme chats en rut, avec la différence qu'ils n'attendent même pas la pleine lune. Je comprends que Sara soit lasse d'entendre Hagar gémir de plaisir toutes les nuits. Mais, crois-moi, Hafri, ma sœur n'est pas fautive. Lorsque Sara a décidé de la mettre dans le lit d'Abraham, nous les avons suppliés de faire construire une maison en dur pour abriter leurs amours ; or, Sara ne voulait pas en entendre parler. Et pas seulement elle. Certes, quelques années plus tard, Abraham a fini par céder, mais le mur s'arrête à la hauteur des épaules, il ne sert pas à grand-chose. D'ailleurs, pendant les travaux, Abraham avait l'air outré, comme si le maçon avait profané le tombeau de ses ancêtres. De plus, aucun toit ne couvrant le mur, on entend le moindre soupir venu de la tente et Hagar est d'une sensu…

Mahaar s'arrêta net au milieu de la phrase : il ne fallait pas que la vieille devinât à sa voix à quel point elle enviait le bonheur de sa sœur. Bonheur légendaire : toutes les jeunes filles et beaucoup de femmes mariées rêvaient des amours de Hagar et d'Abraham et en parlaient dans leurs chansons. Pour détourner l'attention de son interlocutrice, Mahaar se mit à imiter le parler autoritaire de leur maîtresse. « Vous autres, Égyptiens, disait Sara, chaque fois qu'on lui parlait du mur, vous tenez absolument à élever des constructions dont les ruines gâcheront encore le paysage lorsque vous serez déjà dans l'empire des défunts. »

– Ma maîtresse a bien parlé, Mahaar ! Nous autres, bergers nomades, nous veillons à ne rien laisser derrière nous. Chaque fois que nous quittons un endroit, nous effaçons toutes nos traces, allant jusqu'à combler les puits.

Hafri saisit ainsi l'occasion de donner une leçon à la fière servante égyptienne d'Abraham. Oui, la vie des nomades était bien plus intéressante que la leur. Elle parla longuement du sentiment merveilleux que vous procurent les déplacements en groupes : hommes, femmes et enfants se partagent le travail et les joies. Et elle entonna la chanson bien connue des nomades :

– Nous autres, nous respectons ce que le Seigneur a créé pour sa joie et pour notre plaisir.

Elle accompagna ses paroles d'un geste ample, désignant à l'intention de Mahaar la vaste plaine brûlée par le soleil, les prés à l'herbe rare, avec, çà et là, un arbre ou un buisson tapi dans le creux d'un rocher ou tordu par le vent. Balayant le paysage, le regard d'Hafri rencontra tout à coup le mur qui entourait la tente de Hagar. Alors, sa main retomba, inerte.

En faisant élever ce rempart, bien plus haut que les clôtures habituelles, Abraham avait pensé être agréable à ses deux épouses. Or, Sara n'y avait rien gagné. Au contraire, le mur amplifiant les résonances, elle percevait plus nettement les roucoulements des deux amoureux. Hagar, par contre, avait réussi à se persuader qu'en enfonçant ses dents dans les épaules d'Abraham, elle étouffait ses cris voluptueux.

En quoi elle se trompait. En revanche, elle n'avait plus à craindre les attroupements, devant sa tente, de gamins dévorés par la curiosité, ni le fidèle chameau d'Abraham qui, une nuit, ayant pris pour un appel le râle voluptueux de son maître, avait passé la tête par l'ouverture de la tente et – sans doute consterné par le spectacle qui s'offrait à ses

yeux – s'était mis à danser jusqu'à ce que la tente s'effon-
drât sur la tête des amoureux.

Ce fut alors que, maugréant et pestant abondamment,
Abraham consentit à faire monter le fameux mur. Hagar et
les Égyptiens triomphèrent, mais les Hébreux estimèrent
que cette construction portait atteinte à leur honneur.
Visible de loin, le mur distinguait la tente d'Abraham de
toutes les autres.

Hafri en était outrée.

– Nous autres, nous n'avons pas besoin de murs, décla-
ra-t-elle, d'un air supérieur. Nous n'avons rien à cacher.
Bergers nomades, nous formons une grande famille. Nous
n'avons pas de secrets entre nous et c'est dans l'union que
réside notre force. Je sais bien que toi, ta sœur et tous ceux
qui sont venus des bords du Nil, vous méprisez les vaga-
bonds aux pieds couverts de poussière que nous sommes…

Craignant que ce genre de rumeur ne parvienne à
l'oreille de Sara, Mahaar protesta :

– Je n'ai rien dit de tel. Je voudrais simplement te faire
comprendre que certaines de nos coutumes…

– Il suffit de mettre un pied en Égypte pour être conta-
miné par les extravagances qui ont cours là-bas. Depuis
qu'il en est revenu, Abraham lui-même n'est plus ce qu'il
était ! Il faut l'entendre parler de son Dieu unique et des
terres qu'Il lui a destinées ! Ma foi, il serait capable de
s'établir sur un bout de terre aride et d'abandonner notre
vie de nomades, laquelle a pourtant, de tout temps, été le
gage de notre puissance.

Elle se tut et pensa aux délices de cette vie nomade,
lorsque toute la tribu se met, comme un seul homme, à la
recherche de nouveaux pâturages. Les yeux perdus dans
le vague, Hafri ressentit l'émotion qui la saisissait chaque
fois qu'on pliait bagage : plusieurs jours, voire plusieurs
semaines s'ensuivaient avant que, debout sur son chameau, mais à peine visible à l'horizon, un éclaireur indi-
quât la direction à suivre pour atteindre enfin de riches
pâturages et des sources abondantes.

Cependant, voyant Mahaar prendre sa cruche pour partir, la vieille cessa de rêvasser et reprit, prolixe :

– Vous autres, Égyptiens, vous n'avez peut-être pas le sang aussi chaud que nous, poursuivit-elle, radoucie, pour retenir Mahaar. Sans doute, vivre derrière des murs vous convient-il… Mais nous autres, une fois installés quelque part, que deviendrions-nous ? Peut-être ressemblerions-nous alors au peuple de Sodome et de Gomorrhe ? Les hommes s'intéresseraient uniquement à l'arrière-train de leurs compagnons, dit-elle en esquissant un geste obscène, ou bien de leurs compagnes, ajouta-t-elle sur un ton bien moins sévère. Mahaar se demanda si Hafri n'avait pas déjà essayé ce dont on parlait tant sous le manteau depuis que Loth avait menacé Sodome et Gomorrhe, où régnaient des mœurs aussi dépravées, de la destruction par le Dieu unique.

Certains défenseurs acharnés de la vie nomade prétendaient que si le malheur frappait le peuple de Sodome et de Gomorrhe, c'était parce que celui-ci avait choisi de s'installer dans des villes surpeuplées, si toutefois on pouvait appeler « vie » leur misérable existence.

« Ils n'hésitent pas à abattre leurs plus beaux arbres pour leurs charpentes ! Si cela continue ainsi, nos bêtes ne trouveront plus d'ombre où se réfugier devant l'ardeur du soleil ! » se lamentaient-ils à qui voulait les entendre.

Mahaar comprenait que les bergers fussent inquiets de la disparition des arbres, mais n'admettait pas que l'on considérât tous les citadins comme des êtres livrés à la débauche et à la luxure. Aussi tenait-elle à défendre son peuple contre Hafri.

– Chez nous, en Égypte, les gens vivent dans des villes depuis plusieurs générations, mais nul ne peut prétendre que, pour favoriser Hathor, ils délaissent leurs autres dieux et sacrifient uniquement sur l'autel de l'amour et de la luxure. Naturellement, nous respectons et vénérons Hathor, la puissante déesse de l'amour, et nous apprenons à nos filles l'art de la servir, mais nous préférons exercer son culte entre les quatre murs de notre maison. C'est pourquoi je te dis que ce n'est pas la faute de ma sœur si Sara est obligée d'entendre toutes les nuits…

– Ma maîtresse se moque éperdument du plaisir de ta sœur, répliqua Hafri. Ce n'est pas la bagatelle qui lui manque… à son âge ! Mais il me semble qu'elle n'a toujours pas abandonné l'espoir de pouvoir mettre au monde un fils d'Abraham. Si elle a fait venir ces charlatans, c'est peut-être pour qu'ils lui donnent d'autres philtres, plus forts, plus efficaces que les premiers…

– Mais ce n'est pas Sara qui les a fait venir. Ni Abraham !

Mahaar se réjouit d'avoir ainsi pris Hafri au dépourvu. Laissons-la crever de curiosité, pensa-t-elle, en passant, avec une lenteur calculée, ses doigts dans son épaisse chevelure noire, tout en contemplant le reflet de son visage dans l'eau de la fontaine.

– C'est Loth qui les envoie, lâcha-t-elle enfin. Vous ne vous imaginez tout de même pas que les mêmes breuvages qui n'ont servi à rien il y a quelques années puissent être aujourd'hui d'une quelconque utilité ?

– Peut-être comptent-ils sur autre chose que sur les breuvages ? ricana Hafri en adressant à Mahaar un clin d'œil complice. Peut-être espèrent-ils que la semence de ce beau coq germera dans cette terre desséchée ?

– Allons, Hafri, ne dis pas de bêtises, gloussa Mahaar. Plutôt que de t'écouter, je ferais mieux d'aller voir ma sœur, ajouta-t-elle gravement. « Quelles que soient les intentions de Loth, se dit-elle ensuite, Ismaël, mon neveu bien aimé, n'aura guère à s'en féliciter… »

Chargeant derechef la cruche sur ses épaules, elle se tourna vers la malicieuse vieille :

– Quant à toi, Hafri, plutôt que de t'occuper de ces mercantis, dépêche-toi de te rendre auprès de ta maîtresse !

***

– Approche, Hafri ! Je viens d'entendre une chose incroyable ! chuchota Sara en pressant son index décharné sur ses lèvres exsangues pour imposer le silence à sa servante et confidente. C'est sur la pointe des pieds que Hafri se dirigea vers sa maîtresse, aux aguets derrière la tente d'Abraham.

– Ces trois charlatans, poursuivit Sara en étouffant son rire, sont venus dire à Abraham que sa semence germerait bientôt en moi, alors que j'ai cessé d'être une femme bien avant d'avoir poussé Hagar dans le lit d'Abraham. Sur la terre de ses ancêtres, cette belle sorcière serait sans doute prêtresse de Hathor ; en ressuscitant sa virilité, elle a rajeuni Abraham de dix, peut-être vingt ans. Mais moi ? Qui serait capable de me rendre ma féminité ? Et si, par miracle, on y parvenait, à quoi cela me servirait-il ? Voilà des années qu'Abraham n'a pas couché avec moi ! Comment une vie nouvelle pourrait-elle naître dans un vase aussi desséché, tout juste bon, et cela depuis longtemps, à être mis dans la terre ? Quels élixirs, quels breuvages d'amour veut-on me faire avaler ? Du lait de jument magique ou du sang de cobra ? Et Abraham, que pense-t-il de tout ça ?

Ayant fini d'égrener le chapelet de ses questions, elle ajouta :

– Ils ne s'attendent tout de même pas à ce que j'accueille Abraham dans la joie. Son étreinte est une véritable torture depuis que…

« Depuis que nous avons quitté l'Égypte », aurait-elle voulu dire, sachant que, de toute façon, Hafri était au courant de ses faits et gestes. Cependant, assaillie tout à coup par le souvenir doux-amer des années délicieuses qu'elle avait passées avec le pharaon dans son palais au bord du Nil, elle fut incapable de terminer sa phrase. Pourquoi n'ai-je jamais été aussi bien avec Abraham qu'avec le pharaon, se demanda-t-elle pour la énième fois depuis que, tombée en disgrâce auprès du maître de l'Égypte, elle avait été obligée de regagner Canaan avec son mari. Depuis qu'elle avait donné Hagar à celui-ci, une autre question occupait son esprit : « Pourquoi n'ai-je jamais été aussi bien avec Abraham que l'est, apparemment, Hagar ? »

Question dictée moins par la jalousie que par la curiosité : elle comprenait mal pourquoi son corps n'avait jamais su accueillir celui d'Abraham avec l'exaltation de Hagar ou avec celle qu'elle avait elle-même éprouvée au contact du grand pharaon ?

Bien que son ouïe exercée distinguât nettement les cris de volupté spontanés, suivis d'un silence sépulcral, que Hagar poussait toutes les nuits pour la plus grande gloire d'Hathor de ceux, artistiquement modulés, de ces concubines égyptiennes capables de transformer en indomptables taureaux les veaux les plus placides, Sara n'enviait nullement les extases nocturnes de Hagar.

« Pour ce qui est de flatter les sens de son amant par ses murmures, ses cris et les vibrations quasi imperceptibles de son corps, Hagar s'y entend aussi bien que les plus habiles concubines du pharaon, se dit Sara. Et elle sait monter de plus en plus haut sur l'échelle des plaisirs, tout comme moi j'ai appris à le faire avec le pharaon... »

Elle n'avait pas oublié la patience avec laquelle le grand souverain l'avait initiée à l'art de la volupté. « Oh, Abraham ! Pourquoi m'as-tu abandonnée aux bras du pharaon ? Pourquoi t'es-tu laissé absorber par la seule pensée de ton Dieu au lieu de savourer les plaisirs pour lesquels Il nous a créés. As-tu entendu retentir mes cris d'amour dans ce palais au bord du Nil comme j'écoute à présent ceux de Hagar ? » Mais, s'apercevant de l'émoi que suscitait en elle le souvenir des années passées avec le pharaon, elle mit fin à son interrogation.

– Je ne suis peut-être pas encore tout à fait insensible, dit-elle à voix haute à Hafri. Mais de là à concevoir... Cette seule idée me fait rire...

Mais – ô miracle ! –, au même moment, elle crut entendre une voix d'homme, lointaine et pourtant omniprésente.

Elle ne peut venir que du Dieu unique d'Abraham, pensa Sara.

– Dis-moi, Abraham, tonitrua la voix, pourquoi Sara a-t-elle ri en disant : « Pourrais-je vraiment enfanter, moi qui suis si vieille ? » Peut-être se moque-t-elle de moi, ton épouse ? Peut-être toi-même, Abraham, ne crois-tu pas que rien ne m'est impossible ?

Certaine, désormais, d'entendre la voix de Dieu, Sara, remplie d'effroi, s'efforça de nier.

– Je n'ai pas ri, dit-elle, mais la voix, de plus en plus menaçante, continua en s'adressant directement à elle :

– Si, tu as bel et bien ri !

Sara estima qu'elle ferait mieux de se taire. Elle fit signe à Hafri de la suivre dans sa tente et lui ordonna d'aller chercher ses onguents et ses pommades pour la préparer à accomplir la volonté de Dieu.

– Si seulement je savais ce que ce jeune homme est venu faire ici, demanda Sara à mi-voix. Et, sans attendre la réponse d'Hafri qui avait entendu ses propos, elle reprit aussitôt :

– Peut-être est-ce pour que je me sente de nouveau femme ? Mais je ne coucherai jamais avec lui. Je n'accueillerai pas en moi le rejeton d'un marchand égyptien qui, faute de mieux, essaie de vendre sa propre semence ! Abraham a déjà un fils issu de la matrice de Hagar. Je n'accepterai que la semence d'Abraham, dussé-je demander à Hagar d'éveiller sa virilité !

– Tu n'auras pas besoin de l'aide de Hagar, dit Hafri d'une voix caressante, tout en appliquant onguents et huiles parfumées sur les joues autrefois pleines, mais à présent creuses et ridées, de sa maîtresse. Puis, d'une voix de plus en plus suave, elle poursuivit :

– Ton mari, qui a entendu l'ordre de Dieu, obéira à son Seigneur ! Cependant, je dirai à Hagar de se montrer particulièrement prévenante avec Abraham, avant de te l'envoyer cette nuit. Je sais qu'elle le fera pour toi, parce qu'elle t'aime beaucoup depuis qu'elle a accouché, sur tes genoux, d'Ismaël, le fils d'Abraham. Ce jour-là, pour l'aider à accoucher, tu l'as tenue dans tes bras, tu as ressenti ses douleurs dans ton corps. Elle t'aimera toujours pour avoir accepté Ismaël comme ton propre fils. Mais même s'il n'en était pas ainsi, elle ferait ce que je lui demande par amour pour Abraham.

N'épargnant pas ses précieuses huiles, Hafri s'acharnait sur le corps malingre et la peau sèche de Sara, tout en lui susurrant des paroles encourageantes :

– Crois-moi, maîtresse, tu n'auras besoin de l'aide de personne. (Sa voix était aussi caressante que sa main.) J'effacerai tes rides avec de la résine chaude. À la vue de tes joues vermeilles, fardées avec du jus de betterave, et de tes paupières noircies avec du charbon de bois, Abraham croira revoir la Saraï d'autrefois, celle d'avant l'Égypte. Il sera avec toi comme il l'était avant de t'avoir offerte au pharaon pour obtenir protection et opulence sur la terre d'Égypte.

Rêveuse et alanguie, Sara murmura dans un soupir : « Que la volonté de Dieu soit faite ! »

***

Cédant à l'insistance d'Hafri, Sara s'immergea dans une cuvette remplie de lait de chèvre encore chaud et évoqua avec délices ses souvenirs d'avant leur séjour en Égypte.

Elle revit Abraham, jeune prophète ardent, en proie à une sainte colère, détruisant les idoles en argile qu'adorait son peuple. Le regard en feu, il fustigeait les mécréants qui refusaient de suivre son Dieu, son Seigneur céleste, Celui qui lui avait fait don de la terre de Canaan, promettant chameaux, chèvres et moutons en abondance, et une vieillesse heureuse, entourée de sa nombreuse progéniture, laquelle, à son tour, engendrerait une grande nation.

Elle se remémora son mariage avec Abraham malgré la volonté de son père qui espérait obtenir une fortune contre la plus belle de ses filles, les épreuves et les dangers auxquels l'avaient exposée le jeune prophète, mais que, grâce à sa foi en son Dieu, il était, chaque fois, parvenu à tourner à son avantage. L'hostilité grandissante de leurs puissants voisins n'avait fait que renforcer l'image du Dieu d'Abraham.

Hafri se gardant bien de troubler les rêveries de sa maîtresse, ce fut Sara qui, s'adressant à elle-même plutôt qu'à sa servante, brisa le silence :

– Abraham aurait-il, de nouveau, entendu la voix de son Dieu ? Et Celui-ci lui aurait-il renouvelé sa promesse de voir naître un fils issu de mes entrailles ? Est-ce donc pour cela qu'Abraham a fait venir ces charlatans ?

Fière de communiquer à sa maîtresse une information d'une telle portée, Safri répondit :

– Non, patronne, ce n'est pas ton mari qui les a appelés. C'est Loth qui les envoie ! Ce sont les intentions de celui-ci que tu devrais sonder !

– Ah ! c'est donc Loth… Dans ce cas, je comprends tout, dit Sara, amère. Jamais à court d'idées, celui-là ! Ainsi, le disciple prétend veiller à ce que le Dieu unique de son maître tienne sa promesse !

Sara et son demi-frère, Abraham, avaient grandi avec leur neveu Loth. Celui-ci avait perdu son père dans sa première enfance. Elle le connaissait comme le fond de sa poche. De plus en plus agacée par son attitude au cours de leurs pérégrinations, d'abord sur la terre de Canaan puis en Égypte, elle lui avait surtout reproché son indiscrète et insatiable curiosité concernant ce qui se passait au palais du pharaon. Profondément contrariée, elle reprit :

– Abraham ne devrait pas répéter au fils de notre frère ce que lui dit le Seigneur des cieux ! Loth a manigancé pour que la colère du Seigneur s'abatte sur les villes pécheresses de Sodome et de Gomorrhe. Et, à présent, il prétend veiller à ce que se réalisent non seulement les menaces, mais aussi les promesses de notre Seigneur. Moi, je préférerais qu'il m'oublie dans ses intrigues.

– En quoi Abraham est-il resté avec les charlatans ? Il ne va tout de même pas se laisser gruger une deuxième fois !

– Ils jurent sur leurs testicules et sur la tête de tous leurs descendants existants et à venir que lorsqu'ils reviendront à la dixième pleine lune, j'aurai donné la vie à un garçon. J'espère que, cette fois, Abraham attendra le résultat avant de les payer.

– Et ce jeune paon, maîtresse ? Que vient-il faire dans tout ça ?

– Je l'ignore, Hafri. Il n'a pas ouvert la bouche une seule fois. Mais ne t'en fais pas, je saurai bientôt ce qu'il manigance. D'ailleurs, ils passent tous les trois la nuit ici. Abraham leur offre un véritable banquet !

– Dans ce cas, permets-moi, maîtresse, de t'habiller. Il faut que tu fasses honneur à ce repas. Pour suivre la voie des dieux, il faut être prêt à toutes les éventualités.

***

– Viens donc, Hagar ! Allons derrière ces rochers où personne ne peut nous entendre.

Prenant sa sœur par le bras, Mahaar l'entraîna vers le champ qui s'étendait derrière le campement.

– J'ai rencontré trois étrangers près de la fontaine, dit-elle. Ce qu'ils m'ont appris peut être important aussi bien pour toi que pour ton fils, Ismaël.

– Si, au lieu de couler des jours heureux avec Ismaël et son père, je prêtais l'oreille à tout ce qu'on dit sur moi, je passerais ma vie dans l'angoisse. Qu'aurais-je donc à craindre, puisque Abraham a du plaisir à vivre avec moi ?

Hagar regardait sa sœur avec son sourire radieux, propre à réjouir tous les cœurs. Cependant, devant son insouciance, le visage de Mahaar se rembrunit :

– Tu sais bien que je n'ai pas l'habitude de colporter des ragots. J'ai entendu de mes propres oreilles le plus jeune des trois étrangers affirmer avoir été envoyé par Loth. Et, quelles que soient les intentions de ce prétendu neveu d'Abraham, je doute qu'il veuille ton bien, Hagar !

– À ton avis, que manigance-t-il ?

– Selon Hafri, Loth leur a confié quelque potion magique afin que la semence d'Abraham puisse germer dans la matrice de Sara.

– De Sara, dis-tu ? Crois-tu qu'elle m'aurait permis d'accoucher sur ses genoux si elle n'avait pas depuis longtemps abandonné tout espoir de mettre un fils au monde ? Elle est heureuse de savoir que son mari passe ses nuits avec moi. Réfléchis : bien qu'il couche avec moi chaque fois que, selon la position de la lune, je suis en mesure d'enfanter, je n'ai jamais pu donner un second fils à Abraham. Crois-moi, Mahaar, je bénirais le nom de son Dieu unique, aussi bien que celui de notre Hathor, si, par miracle, la semence d'Abraham pouvait éclore dans la matrice desséchée de Sara ! Abraham voudrait tellement un autre fils, et, pour Ismaël, un compagnon de jeu digne de lui !

– Tu oublies, ma sœur, la cupidité des gens ! Ne penses-tu donc pas à la succession ?

– Même s'il n'héritait que de la moitié, que dis-je, du cinquième de la richesse d'Abraham, Ismaël serait à l'abri du besoin. Et puis, il est comblé par les dieux et possède de multiples talents. Je suis sûre que, quelle que soit sa part d'héritage, il réussira dans la vie.

– Mais ne crains-tu pas de perdre l'amour d'Abraham ? Il pourrait retourner auprès de Sara, si celle-ci lui donne un fils ?

– J'aime Abraham et je serais incapable de m'opposer à son bonheur. S'il veut un autre fils et si ni Sara ni moi-même ne pouvons le lui donner, il trouvera une troisième femme. Je crains cette inconnue bien plus que la femme avec qui nous vivons depuis des années.

Hagar se leva et adressa un sourire à sa sœur.

– Ne t'en fais donc pas pour moi et pour Ismaël, chère Mahaar. Mais, maintenant, je dois te quitter pour préparer le dîner.

***

– Je t'en prie, Ismaël, viens m'aider à attiser le feu, dit Hagar à son fils. Elle savait que son fils aimait, en soufflant sur la braise, faire jaillir les flammes promptes à lécher les brindilles. Ensuite, pour chasser de son esprit les paroles de sa sœur, elle se mit à chantonner : « Mon cœur déborde d'amour, mais je retiens mes larmes. »

Elle entonnait les chansons de son peuple chaque fois qu'Abraham était absent. Hagar eût aimé que son fils apprît la langue de son peuple, langue qu'elle évitait de parler devant Abraham, celui-ci la comprenant parfaitement, mais détestant tout ce qui lui rappelait ses années égyptiennes. Tout en continuant à chanter, Hagar cherchait à se donner du courage :

– Lorsque tout le monde sera couché, je présenterai mon sacrifice à la déesse Hathor, se dit-elle. Je lui demanderai de donner un fils à Abraham, si ce n'est par mon intermédiaire, au moins par celui de Sara. Avec l'aide d'Hathor et de notre Seigneur céleste, sa semence finira bien par germer dans l'une d'entre nous.

Elle savait bien que si son vœu était exaucé, Abraham serait éperdu de bonheur.

Chapitre II

« Ismaël, va voir ton petit frère qui vient de naître ! »

Abraham se dirigeait au pas de course vers la tente de Hagar. En entendant sa voix tonitruante, les serviteurs qui travaillaient aux champs levèrent la tête.

« Maudit mur », grommela Abraham, comme chaque fois qu'entrant dans sa tente en présence de Hagar il heurtait volontairement de son coude ou de sa main une pierre mal dégrossie, pour bien signifier que ce mur le gênait, qu'il ne l'avait fait construire que pour lui faire plaisir.

– Je vois, Abraham, que tu ne tiens plus de joie ! dit Hagar, taquine. Regarde, Ismaël est ici, prends-le avec toi. Dès que nous avons appris la grande nouvelle, je lui ai mis son habit de fête.

– Si seulement je savais comment cela est arrivé ! se dit-elle ensuite, en poussant un soupir angoissé, car elle revoyait le sourire malicieux avec lequel Hafri leur avait, dans la nuit, annoncé la nouvelle.

La langue de la vieille ne s'était déliée qu'après le départ d'Abraham.

– Avant même que Sara ait eu le temps de dire ouf, l'enfant était déjà là. Elle n'a pas plus souffert que si un papillon s'était posé sur son front. Lorsqu'on est venu me réveiller, elle tenait déjà l'enfant dans ses bras.

Malgré le sourire bienveillant d'Hafri, Hagar était demeurée muette.

« Je me garderai bien de poser des questions à cette langue de vipère », se disait-elle, en réfrénant sa curiosité. Sara ne me pardonnerait pas d'avoir interrogé sa servante et confidente, pour qui, jusqu'à présent, elle n'a jamais eu de secret.

Fidèle à sa résolution, elle ne demanda rien non plus à Abraham qu'elle venait d'accueillir, comme d'habitude, avec le sourire, même si sa voix trahissait une certaine inquiétude.

— Emmène donc avec toi ton fils aîné, dit-elle, en soulignant involontairement ce dernier mot, mais ne lui permets pas de prendre le bébé dans ses bras. Tu oublies quelquefois que c'est encore un enfant. Lorsque tu lui confies une flèche, cela ne regarde que toi…

— Un enfant, mon fils ? s'écria Abraham avec une indignation feinte. Un grand garçon de dix ans ! Ne viens-tu pas avec nous ? demanda-t-il ensuite à Hagar, d'une voix empreinte d'un sincère regret.

— Je passerai voir Sara plus tard. En ce moment, elle a surtout besoin de repos ; à son âge, l'accouchement n'est pas une mince affaire, dit-elle, comme si elle avait déjà oublié le compte rendu d'Hafri.

— Il n'en est rien, Hagar ! Dieu vient d'accomplir un miracle : cela fait des années que je n'ai pas vu Sara aussi calme, aussi détendue. Oui, c'est un vrai miracle. Tout s'est passé selon la promesse du Seigneur : Sara a accouché d'un garçon superbe, et, de plus, sans douleurs… Tout au moins, c'est ce que dit Hafri.

« Mais pourra-t-elle allaiter ? » demanda Hagar, à la fois compatissante et anxieuse. C'est que, durant la saison des pluies, toutes les femmes de la tribu se baignaient ensemble et Hagar avait pu voir de ses propres yeux à quel point les seins de Sara étaient flétris.

— Ne te fais pas de soucis, Hagar, notre Seigneur céleste a tout prévu, dit Abraham.

Heureux de voir que le sort du nouveau-né lui tenait tellement à cœur, Abraham entoura de son bras les épaules de Hagar et la serra contre lui.

– Il se trouve que la fille cadette de Loth a du lait en abondance. Elle est venue pour aider Sara à accoucher, mais elle peut rester avec nous pendant un certain temps. Miraculeuses sont les voies du Seigneur qui a tout réglé selon sa sagesse… C'est un vrai miracle qui nous arrive !

– À t'entendre, Abraham, tout est miracle. Si je te touche, dis-tu, c'est, pour toi, un miracle. L'inverse n'est pas totalement faux : disons plus simplement que ce que tu me fais est merveilleux. J'attends impatiemment ton retour dans mon lit.

– Ce qui arrive à Sara est bel et bien un miracle divin ! répéta obstinément Abraham.

– Vraiment ? Et les trois hommes qui sont venus ici l'an dernier ?

Hagar regretta aussitôt d'avoir laissé échapper cette phrase.

– Excuse-moi, Abraham, de t'en avoir parlé.

– Je comprends ce que tu dis. Bien entendu, aux termes de l'accord passé, il me faudra les payer. Mais, crois-moi, Hagar, ces trois hommes étaient des anges : ils venaient annoncer le miracle divin.

– Je le sais, Abraham. D'ailleurs, il n'y a pas que Sara qui ait rajeuni, on dirait que toi aussi tu t'es désaltéré à quelque source de jouvence. Allons, dépêche-toi, prends Ismaël avec toi avant de venir me rejoindre dans ma tente… Tu es capable de réveiller la femme en chacune de nous, Abraham !

– Mais toi, Hagar tu es la seule femme capable de réveiller l'homme en moi ! répondit Abraham en adressant un sourire bienheureux à sa compagne. Puis, il prit Ismaël par la main et se dirigea vers la tente de Sara. Le regard levé vers son père, Ismaël essayait, en sautillant, de suivre son pas.

« Sans doute harcèle-t-il son père de questions, se dit Hagar. Heureusement, Abraham ne se lasse jamais de lui répondre. » Chaque fois qu'elle voyait son fils avec l'homme qu'elle aimait plus que sa vie, elle se sentait envahie par une douce chaleur. Cependant, cette fois, dès qu'ils eurent disparu dans la tente de Sara, elle sentit un froid glacial se glisser dans son cœur : elle venait de se remémorer la rencontre, devant la fontaine, de sa sœur et des trois charlatans.

Hagar craignait par-dessus tout que le doute ne s'installât en elle : elle voyait en l'amertume le fléau le plus cruel de la vieillesse et la combattait avec l'énergie de celles qui luttent contre les rides révélatrices de leur âge. Certes, elle n'avait jamais recours aux huiles et onguents parfumés pour lesquels certaines concubines dépensaient des fortunes ; elle savait que sa beauté à elle résidait dans les profondeurs de son âme que le soleil brûlant du désert ne pouvait atteindre.

« Pour empêcher que l'amertume s'introduise dans mon cœur, le mieux serait d'aller voir Omaan, le sage », pensa-t-elle.

Se couvrant la tête d'un fichu, elle partit aussitôt à la recherche de ce dignitaire égyptien que le pharaon avait offert à Sara, sa concubine favorite, afin qu'il veille sur elle et ses domestiques. À ce sage entre les sages, le souverain avait également confié le soin d'initier Sara aux us et coutumes qui régnaient au palais et de lui fournir les renseignements indispensables pour déjouer les intrigues de la cour. Tout cela s'était passé bien avant que sa Majesté eût connaissance du fait que Sara n'était pas seulement la demi-sœur d'Abraham mais aussi son épouse.

Lorsque Hagar l'aborda, Omaan était en train de charger des peaux de chèvre et de mouton sur les chameaux d'une caravane en partance.

– J'aurais besoin d'un conseil, ô, sage Omaan, lui dit-elle en égyptien, pour ne pas être comprise des autres.

– Viens, ma petite, mettons-nous à l'ombre de ce tamaris. La question que tu veux me poser est-elle en rapport avec la naissance du second fils d'Abraham ? Il s'appelle Isaac, m'a-t-on dit, ce qui, dans leur langue signifie : « celui qui aime rire ». Serait-il donc né en riant ?

– Je ne le crois pas, Omaan, encore que, selon Hafri, notre maîtresse l'aurait mis au monde sans aucune aide, pour ainsi dire, pendant son sommeil. C'est Sara qui avait ri en apprenant de la bouche des trois charlatans qu'un fruit béni sortirait de sa vieille matrice. En voyant son ventre s'arrondir de plus en plus, mon cœur s'est d'abord réjoui sincèrement : j'étais heureuse pour Abraham. Mais bientôt, je me suis surprise à éprouver de l'amertume, voire de la peur, peur de ce que l'avenir pourrait réserver à moi et mon fils adoré. Or, je voudrais chasser cette crainte, l'empêcher de jeter de l'ombre sur mon amour pour Abraham.

– Voyons, tu sais bien que tu peux te fier aux sentiments d'Abraham : il t'aime et il aime ton fils, Ismaël. Que crains-tu donc ?

– Ce n'est pas Abraham, c'est Loth qui m'inquiète. Je sais que c'est lui qui nous a envoyé les trois charlatans, même si je ne comprends pas exactement leur rôle dans cette affaire. Certains disent que Loth et Sara s'apprêtent à jouer un mauvais tour à Ismaël.

– Chère Hagar, tu as raison de diriger tes soupçons non sur le nabi, mais sur son disciple. Les nabis ou prophètes entendent bien les ordres de leurs dieux, mais c'est aux disciples qu'il appartient de les exécuter. Dès avant Sodome et Gomorrhe, Loth s'était chargé d'interpréter pour nous les paroles que leur Dieu unique adressait à Abraham. Et voilà qu'à présent il prétend non seulement lire les paroles de notre Seigneur céleste sur les lèvres de son oncle, mais aussi les entendre directement, de ses propres oreilles.

– Me parles-tu de ce qui est arrivé à ces deux villes ? Et crois-tu ce qu'on raconte à propos de Loth et ses deux filles ?

– Je ne prête pas foi aux racontars, car j'ai l'habitude de juger d'après les faits. Or, le fait est que les habitants de Sodome et Gomorrhe ont péri dans l'incendie de leur ville, et que seuls Loth et ses deux filles en ont réchappé. On dit qu'en se retournant et en voyant Sodome et Gomorrhe réduits en poussière, la femme de Loth s'est changée en une colonne de sel. Je ne vais pas jusqu'à soupçonner Loth d'avoir lui-même allumé l'incendie, mais il est indéniable que des choses bizarres se sont passées dans la nuit précédente. Assemblée devant la maison de Loth, la foule a exigé de voir les deux jeunes hommes d'une beauté angélique qui passaient la nuit sous son toit. Au lieu de les livrer, Loth offrit aux curieux ses deux filles, afin qu'ils en fissent ce que bon leur semblait. Et peu après que Sodome et Gomorrhe furent réduites en poussière, Loth s'enfuit avec ses filles dans les montagnes au-dessus de Çoar où, dans une caverne, il coucha avec elles et les engrossa. Ce n'est pas là un racontar, Hagar, car aucun autre homme n'étant présent, il est certain que c'est Loth qui est l'auteur de ce forfait.

– Loth prétend que ses filles lui ont fait boire du vin et qu'elles ont couché avec lui sans qu'il s'en rende compte.

Hagar avait pris la défense de Loth, comme elle l'aurait fait de n'importe quel homme accusé d'un crime aussi monstrueux.

Elle ajouta, incrédule :

– Il dit que, la première nuit, c'est l'aînée qui est allée le rejoindre et que la cadette a fait de même la nuit suivante. On raconte d'étranges choses à propos du frère bien-aimé d'Abraham, mais je n'aurais jamais cru qu'il puisse coucher avec ses propres filles, même en ayant perdu sa femme. Dis-moi, Omaan, est-il concevable qu'un homme ivre soit inconscient à ce point ?

– Je sais que tu me respectes, Hagar. Aussi n'est-ce pas de gaieté de cœur que je t'avouerai qu'il m'est arrivé de me soûler au point de ne pas savoir ce que je faisais. Par contre, je ne crois pas qu'une femme, et à plus forte raison une jeune fille inexpérimentée, puisse faire violence à un homme. Je suppose que Loth a été au moins consentant, pour ne pas dire autre chose. Comme tu le sais, ses filles

sont plaisantes et agréables à voir, et cette caverne au-
dessus de Çoar est un endroit désert où l'on peut facilement se dérober à la vue de ses semblables.

– Tu crois donc que Loth y est pour quelque chose
dans le malheur qui a frappé Sodome et Gomorrhe ?

– Je ne crois pas qu'il soit à l'origine de l'incendie, mais
il est certainement coupable de n'avoir rien fait pour
sauver la population. Bien au contraire : les incendiaires
ont pu interpréter ses propos inconsidérés comme un
encouragement au crime. Que de fois n'avait-il pas menacé
du châtiment divin ceux qui copulaient avec des bêtes, les
hommes qui couchaient avec des hommes et les femmes
qui forniquaient avec des femmes ! D'après ce qu'on m'a
rapporté, il parlait souvent de feu et de soufre. Ce genre de
prédiction finit toujours par se réaliser, car il se trouve
facilement des individus prêts à accomplir des actes crimi-
nels, quitte à les imputer aux dieux. Nous ne saurons
jamais si oui ou non Loth s'est entendu avec ses deux
visiteurs pour que soient détruites leur ville et celle de
Gomorrhe. En revanche, nous savons de source sûre qu'en
voyant éclater l'incendie Loth n'a averti personne. En tout
cas, si c'est vraiment leur Dieu unique qui a détruit ces
deux villes, Loth n'a jamais essayé d'intercéder en leur
faveur, alors que, lorsque Dieu lui a fait part de son sinistre
projet, Abraham a cherché à les défendre.

Hagar interrompit Omaan.

– Seul Abraham est capable de plaider auprès du Dieu
unique la cause de ses semblables, dit-elle. Que sais-tu de sa
tentative de sauver les peuples de Sodome et Gomorrhe ?
demanda-t-elle avidement, toujours heureuse d'entendre
parler des bienfaits de son compagnon et prophète.

– On dit que lorsque son Dieu lui fit part de son intention de détruire les deux villes pécheresses, Abraham lui
demanda de leur pardonner à condition de trouver cin-
quante justes parmi la population, même s'il savait bien
qu'il n'y parviendrait pas. Dieu ayant accepté sa proposi-
tion, le prophète obtint que ce nombre fût réduit à dix.

Dieu trouva effectivement dix justes et partit. Mais lors de la visite des deux étrangers chez Loth, celui-ci, tout en sachant, comme il l'affirme maintenant, qu'il avait affaire à des émissaires divins, se garda bien de marchander, de dire aux deux anges si, toutefois, ç'en étaient : « Votre Seigneur céleste s'est mis d'accord avec Abraham, le frère de mon père, pour épargner la ville s'il trouve dix justes en son sein. » Cela aurait suffit, car il les aurait trouvés et la ville aurait été sauvée. Mais Loth ne pensait qu'à lui-même et à ses deux filles. Il aurait pu sauver son épouse si celle-ci s'était montrée aussi insensible que lui et ne s'était pas retournée, malgré l'avertissement de Dieu, pour pleurer la destruction de sa ville.

– C'était bien de la part d'Abraham de défendre même ceux qui vivaient entre eux dans le péché.

– Tu peux avoir confiance en Abraham, mais méfie-toi de son neveu ! Le prophète négocie avec Dieu, mais son disciple se contente d'exécuter ses ordres. Loth voudrait dépasser son maître. Si Dieu disait à Abraham : « Quatre de tes serviteurs m'ont offensé : il faut que tu fasses fouetter deux d'entre eux pour donner l'exemple », Abraham lui répondrait : « Permets-moi, Seigneur, de n'en châtier qu'un ; je te promets que les autres comprendront. » De son côté, Loth répondrait : « Je vais faire fouetter tous les quatre, Seigneur, car ils ont tous péché contre toi. » Méfie-toi des disciples, car ils veulent tous dépasser leurs maîtres.

– Je voulais te demander, Omaan… À ton avis, Loth est-il capable de dresser Sara contre moi ?

– Sara, ma maîtresse, est une brave femme, même si elle est passablement cupide et autoritaire. Mais je ne vois pas pourquoi elle se dresserait contre toi et contre ce fils que tu as mis au monde sur ses genoux et qu'elle considère à juste titre comme son propre enfant. Je suis sûr qu'elle ne rejettera pas Ismaël uniquement parce que, miraculeusement, elle vient elle-même d'avoir un fils. Bien entendu, Abraham rend grâce à Dieu pour tout cela.

– Oui, Omaan, je le sais, mais je crains Loth et ses ruses. Nous autres, Égyptiens, il ne nous a jamais portés dans son cœur et nous n'oublions pas les problèmes d'héritage qui vont se poser... Et puis, je ne comprends pas pourquoi mon compagnon tolère les intrigues du fils de son frère, alors qu'il ne les admettrait pas de la part d'un autre. Que sais-tu des rapports entre Loth et Sara ?

– Nous pourrions en parler longtemps sans pour autant comprendre ce que Loth manigance dans sa tête. Ayant, de bonne heure, perdu son père, il a été élevé dans la famille d'Abraham. Ton compagnon l'aimait comme s'il était son frère, issu de la semence de son propre père. Ensemble, ils acceptèrent l'offre avantageuse de leur nouveau Dieu et prirent ensemble le chemin de Canaan, puis, accompagnés de Sara, ils fuirent la disette qui frappait ce pays, et se rendirent en Égypte. Le grand pharaon les en expulsa en apprenant que, contrairement aux dires d'Abraham et de Loth, la belle Sara n'était pas seulement la sœur mais aussi l'épouse du premier. Notre grand souverain refusait de partager son lit avec une femme mariée, fût-elle devenue, comme Sara, sa favorite la plus dévouée. Selon certains, elle n'aurait pu déployer un tel zèle qu'à l'instigation d'Abraham. Ainsi, ils revinrent tous les trois sur la terre de Canaan, avec nous, les serviteurs dont le pharaon avait fait don à Sara avant qu'elle fût tombée en disgrâce. Obéissant à leur Dieu, Abraham décida de rester dans cette région. Mais leurs biens étaient devenus trop considérables pour qu'ils puissent vivre ensemble. Une querelle éclata entre les bergers des troupeaux d'Abraham et ceux de Loth, et Abraham dit à Loth : « Qu'il n'y ait pas de querelle entre toi et moi. » Ils se séparèrent donc et Loth alla camper à Sodome. Il y vivait avec sa famille, lorsque le roi de Sodome, le roi de Gomorrhe, ceux d'Adma, de Cévoïm et de Béla se rendirent dans la vallée de Sidim pour y combattre Kedorlaomer, roi d'Elam, Tidéal, roi de Goïm, Amraphael, roi de Shinéar et Aryok, roi d'Ellasar : quatre rois contre cinq.

Omaan parlait par-dessus la tête de Hagar, le regard perdu dans le vague, comme s'il s'adressait à un vaste auditoire. En effet, pendant la saison des pluies, il parlait souvent du grand pharaon aux serviteurs égyptiens et surtout à leurs enfants. Il les entretenait des faits et gestes des Hébreux et de leurs voisins, des guerres qu'ils menaient les uns contre les autres. Cette fois, cependant, au lieu d'évoquer les horreurs des champs de bataille, il poursuivit en ces termes :

– Lorsque les rois de Sodome et de Gomorrhe durent s'enfuir, les vainqueurs prirent tous les biens et les vivres des deux villes, ils prirent Loth, sa famille et ses biens. Un fuyard s'en vint porter la nouvelle aux Hébreux. Abraham demeurait alors aux chênes de Mamré l'Amorite, frère d'Eskhol et de Aner, ses alliés. Dès qu'il apprit la capture de son frère, il me demanda de rassembler ses vassaux et mit sur pieds trois cent dix-huit d'entre eux. Nous poursuivîmes les rois pilleurs jusqu'à Dan où Abraham répartit ses hommes pour assaillir de nuit les ennemis. Nous les poursuivîmes alors jusqu'à Hova, qui est au nord de Damas. Nous ramenâmes tous les biens, tous les parents et tous les hommes de ton mari, Loth, ses biens, ainsi que les femmes et les serviteurs.

Estimant qu'il en avait assez dit concernant le passé d'Abraham et de Loth, Omaan se tut. Cependant, sentant sur lui le regard interrogateur de Hagar, il reprit le fil de son discours :

– Revenant victorieux de Kedorlaomer et des rois qui l'accompagnaient, Abraham reçut le roi de Sodome dans la vallée de Shawé, que tu connais peut-être sous le nom de vallée des rois.

Hagar acquiesça.

– Alors, reprit Omaan, Melkisédeq, roi de Salem, prêtre de Dieu, le Très-Haut, bénit Abraham en ces termes : « Béni soit Abraham par le Dieu Très Haut qui crée ciel et terre ! Béni soit le Très-Haut qui a livré tes adversaires entre tes mains ! » Après quoi, le roi de Sodome dit à Abraham :

« Donne-moi les personnes, et reprends tes biens. »
Abraham répondit : « Je lève la main vers Toi, Dieu Très
Haut qui créa ciel et terre. Je jure de ne rien prendre de ce
qui est à Toi, pas un fil, pas même une courroie de sandale !
Tu ne pourras pas dire : "C'est moi qui ai enrichi
Abraham." Cela ne me concerne en rien, sauf la nourriture
de mes serviteurs ; quant à la part des hommes qui m'ont
accompagné, Aner, Eskhol et Mamré, ils la prendront eux-
mêmes. » Comme tu le vois, Hagar, Abraham n'accepta
rien pour lui-même. Il lui suffisait d'avoir libéré ses parents
et récupéré leurs biens. Aujourd'hui encore et malgré son
grand âge, il serait capable de livrer bataille pour défendre
le fils de son frère. Et il fait taire tous ceux qui parlent
contre Loth.

Omaan leva son regard vers Hagar. Il attendait qu'elle
lui exprimât sa reconnaissance pour cette réponse détaillée.
Il n'eut pas longtemps à attendre.

– Je te remercie, Omaan, homme très savant et très
digne de respect, de m'avoir si longuement répondu. Mais
dis-moi : est-il vrai qu'Abraham reproche à Loth d'avoir
vécu parmi les habitants de Sodome ?

– Loth s'est expliqué à ce sujet auprès d'Abraham. S'il
a pu demeurer parmi les Sodomites, ce n'est pas parce
qu'il approuvait leurs mœurs. Il a soutenu qu'il ne cherchait jamais son plaisir auprès des hommes et ne prati-
quait pas, avec les femmes, l'amour à la manière des
Sodomites. Il a persuadé Abraham qu'il n'avait vécu
parmi ceux-ci que dans le but de leur montrer la voie
qu'ils devaient suivre. Les hommes qui fréquentaient sa
maison venaient pour l'entendre parler du Dieu unique et
de son prophète Abraham, et non pour jouir des qualités
viriles de son disciple. D'ailleurs, Abraham accepte tout
ce que dit Loth. Il veut croire que le fils de son frère suit
fidèlement son enseignement au sujet du véritable Dieu
unique qui habite dans les cieux. Or, ce Dieu demande
aux hommes du peuple d'Abraham de planter leur
semence dans le ventre de leurs femmes, au lieu de la

gaspiller avec des hommes en se livrant à des pratiques monstrueuses. Il faut dire qu'à cet égard Loth a donné le bon exemple : ce sont toujours des femmes qui ont reçu sa semence, y compris ses propres filles, ce qui lui a permis de conserver leur dot par-devers lui, ajouta Omaan avec une malice peu compatible avec sa réputation de sage.

— Je crains, dit Hagar, pensive, que Loth n'envisage de marier ses filles ou ses petites-filles avec le fils que Dieu a donné à Sara et de les faire ainsi bénéficier de la richesse d'Abraham. C'est qu'il sait que je ne consentirai jamais à ce qu'Ismaël profane le sacrement du mariage en épousant la fille d'un homme susceptible d'être le père de ses propres petits-enfants. Loth est trop lâche pour nous dénigrer, moi ou mon fils, auprès d'Abraham. Mais je crains qu'il ne soit capable de dresser Sara contre mon fils, contre mon cher Ismaël dont le cœur déborde déjà d'amour pour ce petit frère qui vient de naître et à qui il vient de rendre visite avec son père. Crois-moi, Omaan, je connais bien mon fils, il ne représentera jamais une menace pour Isaac. Fasse le tout-puissant Râ que, de son côté, le nouveau-né ne fasse jamais du tort à Ismaël !

***

— Approche, Ismaël, viens voir ton petit frère Isaac. Prends-le dans tes bras… mais doucement ! ajouta Abraham qui n'avait pas oublié les conseils de Hagar.

— Puis-je le porter au dehors, mon père ? Puis-je lui montrer les prés fleuris ?

— Attends un an ou deux, Ismaël ! dit Abraham en riant. Bien que ce fils tardif de Sara soit plus robuste que tous les nouveau-nés que j'ai vus jusqu'à présent, il ne l'est pas encore assez pour t'accompagner à la chasse, fût-ce aux papillons. Viens plutôt t'asseoir sur mes genoux !

Et, tout fier, il attira contre lui ses deux fils. Isaac souriait à la façon des nourrissons, suçant l'air en quête du sein maternel. Son regard errant finit par se fixer sur

Ismaël qui, à son tour, lui sourit.

« Je sais lire dans leurs sourires, se dit Abraham, le cœur envahi par une douce joie. Et si Dieu le veut, qu'ils vivent dans un amour fraternel. Je prie mon Seigneur pour que cet amour se perpétue dans leur descendance afin que les peuples d'Isaac et d'Ismaël vivent en paix jusqu'à la fin des temps. Je prie Dieu pour que ni les femmes, ni les faux prophètes ne puissent les dresser les uns contre les autres, ni ces trafiquants cupides, habiles, afin d'en tirer profit, à susciter la discorde entre paisibles bergers nomades et peuples sédentaires. » Tout en parlant ainsi en lui-même, Abraham promit à son Dieu qu'avant l'apparition de la nouvelle lune sur la voûte céleste, il se rendrait dans le désert pour, dans le silence infini, entendre Sa parole et apprendre le sort qu'Il réservait à ses fils. Ils fêtèrent pendant huit jours la naissance de son second fils. Le huitième jour, le nouveau-né fut circoncis. Alors, conformément à l'Alliance avec Dieu, Isaac fut admis au sein du peuple d'Abraham.

Chapitre III

Après la circoncision d'Isaac, Abraham se rendit dans le désert pour y rendre grâce à son Dieu unique qui habite le Ciel. Il Lui dit à voix haute :

– Merci à Toi, mon Seigneur et mon Dieu, d'avoir, par miracle, donné à Sara le fils que Tu nous avais promis lorsque nous étions encore jeunes, et d'avoir, dans sa vieillesse, comblé son désir de femme. Mais, dis-moi, Seigneur, que dois-je faire maintenant que j'ai deux fils, Ismaël, issu des entrailles de la belle Hagar, et Isaac dont tu as fait don à Sara, que dois-je faire pour qu'ils vivent entre eux en paix et en harmonie ? Sachant depuis longtemps qu'elle était stérile, Sara elle-même m'a offert Hagar et lui a demandé d'accoucher sur ses genoux et dans ses bras. Elle a accueilli Ismaël comme s'il était son propre fils. Mais le miracle, qui est ton œuvre, suffira-t-il pour qu'elle aime d'un même amour mes deux fils ?

Le grand prophète répéta à plusieurs reprises sa prière anxieuse, et termina chaque fois par ces mots :

« Seigneur Dieu, qui habites au ciel, je Te demande humblement d'accorder à ton fidèle serviteur la grâce d'entrevoir cet avenir pour lequel Tu m'as donné deux enfants mâles. »

Sans rien manger ni boire, Abraham attendit trois jours l'apparition de son Dieu. Au milieu du troisième jour, alors qu'il émergeait d'un léger sommeil, il vit se fendre les sombres nuages qui couvraient le ciel et fut ébloui par le rayonnement céleste. Il essaya de se relever, mais, aveuglé par la lumière, il s'effondra aussitôt. Alors, vautré dans la poussière, il entendit une voix de tonnerre :

– Je t'ai élu, Abraham, parmi tes semblables, et je t'ai mis à l'épreuve. Voyant que tu m'es resté fidèle, je t'ai promis de bénir les entrailles de Sara, ton épouse, afin qu'elle te donne un fils. Depuis, je ne t'ai jamais perdu de vue, afin de t'accorder ce fils, issu de ton peuple, le jour où tu te montrerais prêt à l'accueillir. Tu as cru que j'avais oublié ma promesse. Tu t'es laissé gagner par l'impatience et tu as perdu confiance en moi, semblable en cela à Adam et à Ève qui, malgré mon avertissement, ont voulu cueillir le fruit du savoir alors qu'ils n'étaient pas encore prêts à le recevoir. Ainsi, le savoir s'est mué en eux en venin de serpent. Pour avoir tenté de maîtriser la nature avant d'en comprendre le subtil ordonnancement, ils ont perdu l'Éden. Avec moi, Abraham, chaque chose a son temps et ce temps est prévu depuis longtemps. Plus de générations qu'il y a de jours dans l'année naîtront et disparaîtront avant que les descendants d'Adam et Ève retrouvent le jardin d'Éden et l'harmonie avec la nature pour laquelle j'ai créé les hommes au commencement des commencements.

Cette fois, Dieu semblait plutôt déçu que furieux. Il poursuivit avec la patience d'un bon père :

– De même qu'Ève a poussé son mari Adam à acquérir un savoir qu'ils n'étaient pas prêts à accueillir, de même Sara, ta femme, t'a offert Hagar, la servante, pour qu'elle te donne un fils que tu n'étais pas prêt à recevoir. Tu as pris Hagar et, te réjouissant de ta virilité retrouvée, tu as forniqué avec elle, comme si tu étais encore dans ta jeunesse. Tu as engendré avec elle un fils qui a hérité de ta force et de ta passion, et non de la sagesse du prophète que tu ne possédais pas encore. À présent, te voilà père de deux fils et au lieu de me remercier de t'avoir donné Isaac, tu viens me solliciter pour que je te dise ce que tu dois faire. Aurais-tu peur de Sara ?

Le prophète comprit la question de son Seigneur, mais

n'eut pas la force de répondre. Terrifié, il l'entendit poursuivre :

– Je t'ai observé, Abraham. J'ai vu que tu étais un bon père et Sara une bonne mère pour ton fils aîné, né de Hagar. J'ai vu que tu avais enseigné à ton enfant tout ce que ta mère t'avait enseigné. Ismaël est un enfant vaillant qui saura conduire son peuple. Mais, par ta faute, il manque quelque chose à Abraham. En effet, sa descendance ne pourra acquérir qu'après plusieurs générations la sagesse qui te faisait défaut au moment où tu l'as engendré.

Abraham attendit la suite. Il essaya de lever son regard, mais, aveuglé par la lumière, il dut enfouir son visage dans la poussière. Ensuite, il articula avec peine :

– Et Isaac ?

Le silence qui s'ensuivit fut plus profond et menaçant que celui qui précède la tempête. Étranglé par la peur, Abraham adressa à Dieu une humble prière. En vain : la voix reprit, furieuse :

– Ai-je bien entendu, Abraham ? Est-ce bien sur Isaac que tu viens de m'interroger ? Dis-moi, ne m'avais-tu pas supplié de te donner une progéniture issue de ta semence ? J'ai exaucé ta prière. Aurais-tu douté de ma parole ?

Abraham savait bien que le doute s'était glissé dans son cœur : il avait attendu plus longtemps que ne vit un chameau bien traité. Mais il s'efforça de cacher ses pensées à Dieu.

– J'ai attendu de longues années que tu sois prêt à accueillir l'extraordinaire garçon que je te destinais. J'attendais pendant que tu étais en proie au désir de posséder de la terre, d'exercer le pouvoir, de disposer des trésors et des richesses du monde. J'attendais que ton regard se tourne vers toi-même afin que tu découvres en toi les germes de cette sagesse à transmettre au fils que je t'avais promis. Mais ma patience a des limites, Abraham ! tonna le Seigneur.

– Grâce à Sara, tu es riche en biens, poursuivit-Il sur un ton plus calme. Grâce à Hagar, tu es riche en amour.

Fallait-il que je te donne une troisième épouse pour que tu sois riche en sagesse ? Quand te dresseras-tu enfin sur tes jambes au lieu de ramper dans la poussière à la façon des reptiles ? Pour me trouver dans ce monde que j'ai créé pour toi, il faut que tu lèves la tête et que tu ouvres les yeux. Mets-toi debout et regarde-moi quand je te parle.

Abraham avait la langue paralysée. Dieu, qui le savait, poursuivit en ces termes :

– Crois-tu que si je me suis donné toute cette peine pour créer l'Homme, c'est pour que tu retournes maintenant à la poussière dont tu es né ? Si j'ai permis à ta race de se dresser sur ses deux jambes, c'est pour qu'elle se tienne droit parmi les autres créatures et non pour que, étranglé par la peur, tu rampes devant moi sur le ventre !

« Tu as reçu le don de la parole, la faculté la plus admirable parmi toutes celles que j'ai inventées. Or, tout ce que tu sais me dire, c'est : "Et Isaac ?" Crois-tu que la parole ait été créée pour m'interroger chaque fois que l'envie t'en prend ? tonna le Seigneur. Non, Abraham ! Je vous ai donné la parole pour que vous vous parliez entre vous. Va donc parler à ta femme ! Je t'ai donné la parole pour que tu transmettes ton savoir à la génération suivante. Va parler à ton fils ! Pour obtenir des conseils, va parler à tes amis ! Je vous ai donné la parole pour que vous puissiez régler vos disputes autrement que par les poings. Va parler à tes ennemis ! Vous avez des bras non pas pour vous battre mais pour vous étreindre ! »

Ici, Dieu se tut, mais ce silence fut aussi bref que le temps qu'il faut à une hirondelle pour attraper une mouche.

– Je t'ai donné deux fils pour ton bonheur, reprit-Il, pourquoi donc viens-tu m'interroger sur Isaac ? C'est à toi d'élever tes deux fils, c'est à toi de les empêcher de se tourner l'un contre l'autre.

Et le silence se fit à nouveau.

Abraham comprit que le Seigneur ne souffrait pas d'être importuné par des questions. Cependant, il n'avait toujours pas obtenu de réponse à celle qui le tourmentait le plus : que devait-il donc faire pour empêcher que ses deux fils ne se dressent l'un contre l'autre ? Comment éviter le sort des fils d'Adam et d'Ève ? Caïn n'avait-il pas levé la main sur Abel ? Mais Dieu devina les pensées d'Abraham :

– Tant que tu vivras en paix avec ton épouse Sara, lui dit-Il, tes fils vivront en paix entre eux.

Le Seigneur dit cela et se tut.

Émanant des cieux, le silence profond qui s'ensuivit exacerba la peur d'Abraham. Il eut besoin de tout son courage pour se redresser et ne put se mettre à genoux qu'une fois que cette grande lumière eut disparu du ciel. Il leva les yeux : de sombres nuages bas venus de l'ouest couvraient entièrement le firmament, une violente tempête se préparait, mais Abraham ne remarqua rien. Pour se rassurer, choisissant ses mots avec un extrême soin et veillant à ce que sa phrase ne soit en aucune façon interrogative, il s'adressa derechef à Dieu.

– Sois patient avec moi, ô Seigneur ! Si je n'entends pas ta voix, Seigneur, j'erre dans le désert comme une âme en peine. Aide-moi, Seigneur, à rester fidèle à notre Alliance. Si je n'entends pas ta voix, Seigneur, comment savoir ce que je dois faire ?

– Ainsi, une fois de plus, tu me questionnes ? tonna la voix lointaine. Veux-tu dire que j'ai raté la Création ? que j'ai manqué de générosité envers toi ? Dans la gestion de ses affaires, la fourmi est bien plus habile que toi. Est-ce ma faute si tu me harcèles de questions, au lieu de t'occuper de la tempête qui s'approche ! Le moindre moineau sait que, pour se protéger, il faut se retirer dans son nid. Comprends-tu ce que je dis, Abraham ?

La voix tonitruante s'était comme rapprochée. Un énorme éclair déchira le ciel et la foudre tomba tout près d'Abraham. Il sursauta et aperçut enfin les nuages qui s'amoncelaient au-dessus de sa tête.

« Se peut-il, se dit Abraham, que ces nuages, si précoces

cette année, nous apportent plus qu'une ombre rafraîchissante, et que les lits de nos rivières, aujourd'hui desséchés, en viennent bientôt à déborder ? »

Sa question n'avait rien de gratuit. En effet, surpris par la tempête, le berger risque de perdre une grande partie de son troupeau.

Cette question, Abraham ne l'avait pas adressée à Dieu et il n'attendait pas de Lui une réponse. Les narines dilatées, il huma l'air, puis il se retourna et offrit sa poitrine au vent.

« La tempête s'approche, il faut que j'aille avertir mes gens ! » décida-t-il sans hésitation. Comme tous les bergers nomades, Abraham possédait, en la matière, un flair infaillible. De nouveau, il entendit la voix, mais, cette fois, sans éprouver de crainte.

– Tu vois, Abraham, tu sais te questionner et trouver la réponse en toi-même. Va mettre tes troupeaux à l'abri !

Et Abraham reconnut sa propre voix.

Il s'empressa de regagner sa tente pour faire le nécessaire et retrouver ses deux fils, Isaac et Ismaël.

DEUXIÈME PARTIE

Isaac et Ismaël

Sara vit s'amuser le fils que Hagar l'Égyptienne avait donné à Abraham. Elle dit à ce dernier : « Chasse la servante et son fils, car le fils de cette servante ne doit pas hériter avec mon fils Isaac. » Cette parole fâcha beaucoup Abraham parce que c'était son fils. Mais Dieu lui dit : « Ne te fâche pas à propos du garçon et de ta servante. Écoute tout ce que te dit Sara, car c'est par Isaac qu'une descendance portera ton nom. »

Genèse 21, 9-12

Chapitre I

– Voyons, cher Isaac, ne penses-tu pas que tu es trop grand pour te jucher sur les épaules de ton frère ?

Il n'y avait aucun reproche dans la voix, en apparence insouciante, de Hagar. Son regard affectueux enveloppait les deux fils d'Abraham ; elle espérait qu'ils ne s'apercevraient pas de son soulagement de les voir revenir sains et saufs de leur première chasse nocturne. Malgré son allure de femme mûre, Hagar avait encore quelque chose de l'espièglerie d'une jeune fille. Ses rondeurs, son sourire et cette sensualité qu'elle considérait comme une partie intégrante de sa vie exerçaient sur les hommes un attrait irrésistible.

Lorsque les deux garçons arrivèrent à sa hauteur, elle reprit, taquine :

– Tu es presque aussi grand, Isaac, que l'était Ismaël à ta naissance. Bientôt, c'est toi qui le porteras sur ton dos.

– Non, parce qu'Ismaël grandit en même temps que moi et que je ne pourrai donc jamais le rattraper.

– Ne t'en fais donc pas, Ismaël s'arrêtera bientôt de croître. C'est, il est vrai, un garçon vigoureux, mais tu le rattraperas et tu seras un grand homme comme ton père. Dès à présent, tu es plus intelligent que nombre d'adultes. Eh bien, Ismaël, que nous apportes-tu pour le dîner ?

Elle avait remarqué le gibier accroché à la ceinture de son fils.

– Trois lièvres et une perdrix. C'est Isaac qui les avait

repérés. Il a un œil de lynx et un regard capable de voir à travers les buissons. Si je l'ai installé sur mes épaules, c'est pour qu'il puisse voir loin. D'ailleurs il n'est pas plus lourd qu'un agneau.

– Et lequel d'entre vous deux écorchera ces bêtes ? demanda Hagar tout en sachant qu'Isaac serait incapable de s'acquitter de cette tâche.

– Moi, mère, répondit Ismaël. Isaac reste avec nous à dîner, n'est-ce pas ? Sans lui, je serais rentré bredouille.

– Isaac, va demander à ta mère s'ils veulent partager notre repas. Il y a de quoi faire un festin.

– Je t'accompagne, Isaac. Ainsi, notre père verra de ses propres yeux que nous sommes des chasseurs hors du commun, dit Ismaël en confiant à son frère la perdrix que le jeune garçon n'eut aucune difficulté à porter.

***

– As-tu déjà remarqué, Sara, à quel point ton fils idolâtre Ismaël ? Il ne quitte pas des yeux ce sang-mêlé, le fils de ton mari ! dit Loth en étendant le bras vers la prairie au bord de laquelle se tenait Ismaël. Celui-ci semblait tenir quelque chose entre ses mains, qui accaparait l'attention d'Isaac, lequel avait posé au sol la perdrix et se tenait dressé sur la pointe des pieds.

– Crois-moi, cela finira mal, poursuivit Loth. Cette amitié n'est certainement pas du goût de ton mari… ni de celui de Dieu.

– Mon mari, Abraham, se réjouit de la bonne entente qui règne entre ses fils et il en est de même en ce qui concerne son Dieu. Tu es le seul, mon beau-frère, à t'en inquiéter. Depuis qu'avec tes visiteurs, ces deux beaux jeunes hommes, vous avez anéanti Sodome et Gomorrhe – il est vrai que tu n'as pas toi-même participé à cette entreprise, tu as simplement laissé faire les deux autres –, tu te crois autorisé à nous juger tous, comme si tu connaissais mieux que nous-mêmes les ressorts de nos actes. Crois-tu peut-être que l'amitié entre deux garçons les conduise nécessairement à commettre des actes contre nature ? Le fils de Hagar, qui n'ignore pas le bonheur qu'éprouve l'homme à coucher avec la femme, n'aura jamais recours à de pâles succédanés. Et la femme qu'aura remarquée le bel Ismaël ne se fera pas prier... Au lieu de t'inquiéter de mon fils, tu ferais mieux de t'occuper des fruits issus de ta semence, ajouta Sara, en espérant que cette allusion aux filles de Loth mettrait fin à leur discussion.

– Il ne s'agit pas seulement de cela. Tu dois tout faire, Sara, pour que ton fils Isaac bénéficie du droit d'aînesse et reçoive l'héritage qui lui est dû. Hagar, qui fait tout pour circonvenir Abraham, n'aura de cesse qu'elle n'obtienne pour son fils la plus grosse part.

– Voilà un homme désintéressé qui se préoccupe de l'héritage d'Isaac ! Dès que tu as appris par Abraham que Dieu avait promis de nous accorder un fils – nous étions encore jeunes à cette époque –, tu t'es mis dans la tête que ce fils épouserait une de tes filles. Seulement, voilà : elles sont trop âgées pour mon Isaac. Je t'ai déjà dit qu'ayant engrossé tes propres filles, le mieux que tu aurais à faire, c'est de leur chercher des maris parmi les Cananéens... Peut-être ceux-là pardonneront-ils ton inconduite ?

– L'une d'elles pourrait accoucher d'une fille qui, par son âge, conviendrait à Isaac. Ainsi, l'héritage resterait dans la famille.

Loth se lança dans de grandes explications pour faire comprendre à Sara les avantages de cette solution.

– J'espère que tu ne penses pas devenir le père de tes petites-filles après avoir été celui de tes petits-fils ! s'écria Sara en éclatant d'un rire sardonique. Au lieu de te préoccuper de la fortune d'Abraham et de ses héritiers, tu ferais mieux de balayer devant ta porte. Même si tout n'est pas vrai dans ce qu'on rapporte à ton sujet, il y a là largement de quoi te condamner. Au lieu de chercher à être Dieu, pourquoi ne te contentes-tu pas de l'adorer ? demanda-t-elle pour finir.

Mais dans son for intérieur, elle sentait que le projet de Loth présentait certains avantages. Alors, sans attendre la réponse ni s'excuser de ses propos ironiques qui, visiblement, avaient blessé Loth, elle poursuivit sur un ton plus calme :

– Abraham m'a dit que c'est à Haran, sa terre natale, parmi les gens de sa famille qu'il chercherait une femme pour Isaac. En resserrant les liens avec ces tribus, il compte les gagner à son Dieu.

– Il se peut que telle soit, à l'heure actuelle, l'intention de mon oncle, mais en réfléchissant, il peut encore changer d'avis...

– Abraham n'écoute jamais ce genre de propos, dit Sara. Puis, abandonnant sa voix chevrotante de vieille femme, elle fondit sur Loth avec l'ardeur de sa lointaine jeunesse : « Écoute, si tu ne veux pas que je te fasse couper la langue... ! »

– Bien, Sara, dit Loth, effrayé, je t'aurai prévenue. Hagar, cette séductrice, cette sorcière égyptienne, saura gagner le cœur des fils d'Abraham comme elle a conquis celui de leur père. Avec, s'il le faut, le concours d'Hathor, l'abjecte déesse de la luxure en qui, chose incompréhensible, les Égyptiens voient à la fois la source de l'amour maternel et celle du plaisir féminin. Sa voix douce, ses flatteries, ses espiègleries, ses caresses capables d'apaiser toutes les douleurs subjugueront tes fils, comme ses cris lascifs, les ondulations voluptueuses de sa croupe et le contact de sa chair brûlante fascinent ton mari...

Sara, qui avait remarqué le désir et la jalousie qu'exhalaient les paroles de Loth, se garda, cette fois, de blâmer son beau-frère.

« Si, dans ton ivresse, tu avais cherché le plaisir ailleurs qu'auprès de tes propres filles... » aurait-elle pu lui dire, mais elle estimait qu'on avait déjà trop parlé de ce sujet. Évitant donc toute remarque malicieuse, elle arbora un sourire de commisération dont Loth, aussi envieux que perspicace, comprit immédiatement le sens. Il s'empressa donc de revenir à ses intrigues.

– Je pense que tu ne serais pas particulièrement heureuse de voir ton fils, le seul qui t'ait été donné, te rejeter de son cœur pour l'amour de ta servante… Ton fils, celui que tu n'as pas à partager avec sa mère génitrice… Ton fils en qui tout le monde reconnaît le fruit de tes entrailles…

Loth prononça ses paroles sur un ton à la fois interrogatif et affirmatif.

Ayant appris en Égypte l'art de l'intrigue et de l'hypocrisie, Sara planta ses yeux dans ceux de Loth et fit semblant de ne pas avoir entendu sa question. En réalité, elle avait besoin de toute sa maîtrise d'elle-même pour ne pas laisser paraître son émotion, car les paroles de Loth lui étaient allées droit au cœur.

– C'est Dieu qui, dans sa sagesse infinie, a décidé du moment où me donner Isaac. J'aime mon fils de tout mon cœur et le défendrai contre tous, ajouta-t-elle, le regard fulgurant. Quant à tes perfides allusions, je les accueille avec mépris.

Elle se détourna et dirigea son regard avec ostentation vers Isaac et Ismaël qui venaient d'arriver. Ils lui destinaient comme présent un papillon d'une rare beauté qu'ils venaient de capturer dans les prés. D'une voix encore tremblante d'émotion, Sara les remercia. Elle ferma les yeux pour quelques instants et, en les rouvrant, elle retrouva la force de sourire aux deux garçons.

– Regarde, mère, tout ce gibier que nous avons tué en seulement un jour et demi ! se vanta Isaac en levant la perdrix à la hauteur de ses yeux et en désignant le butin accroché à la ceinture d'Ismaël. Hagar nous prépare un vrai festin. Seras-tu des nôtres, oncle Loth ? Mon père est-il à la maison ?

– Ton père sera sûrement de retour avant la tombée de la nuit, répondit Sara en serrant son fils contre elle. Nous irons alors banqueter dans la tente de Hagar. Ton oncle Loth ne peut pas nous accompagner, il doit se rendre auprès de ses petits-enfants. À moins que tu ne considères comme « tes enfants » ceux qui te sont nés de tes filles, décocha-t-elle à Loth, malicieuse. « Venir avec nous ? pensa-t-elle, il ne manquerait plus que cela ! Il saisirait toutes les occasions pour me faire de la peine et semer le doute dans le cœur d'Abraham. Une fois ivre, il serait capable de proférer des obscénités à l'adresse de Hagar, mettant notre époux hors de lui ! Peut-être réussirait-il même à dresser Hagar contre moi. »

Sara savait à quel point il était important que les deux épouses d'Abraham vivent en bonne entente. C'est d'ailleurs pour cette raison qu'elle avait, sans hésiter, accepté l'invitation de Hagar.

– Ismaël, je t'en prie, va donc dire à ta mère que nous nous rendrons à son invitation avant le coucher du soleil. Isaac, quant à toi, tu restes ici en attendant !

Le ton rugueux avec lequel elle venait d'ordonner à son fils de rester avec elle, tout en sachant que l'enfant ne saurait pas à quoi s'occuper dans sa tente, la surprit elle-même.

« À moins que tu ne préfères raccompagner Ismaël », ajouta-t-elle pour contrer le sourire triomphant de Loth, qui s'effaça aussitôt. Le regard méprisant que lui adressa Sara ne put échapper à ce dernier.

***

« Voilà ce que j'appelle un vrai festin ! » s'écria Abraham en franchissant le seuil de la tente de Hagar. Deux servants soutenaient Sara, son épouse, dont les jambes, si merveilleusement galbées autrefois et si frêles à présent, supportaient difficilement son ventre qui, depuis son accouchement, n'avait cessé de gonfler. Malgré les maux d'estomac qui la tourmentaient depuis qu'elle prenait les remèdes « miraculeux » des trois charlatans, elle levait fièrement la tête, dont un fichu d'une extrême finesse dissimulait la calvitie. Ainsi entendait-elle, malgré sa petite taille et sa démarche hésitante, signifier à Hagar et à tous les convives qu'elle était la maîtresse et que Hagar n'était que sa servante. L'éclat de ses yeux noirs profondément enfoncés dans leur orbite évoquait encore la beauté d'autrefois de la concubine du pharaon. Sara adressa à Hagar un sourire dépourvu de malice et d'amertume.

« Ta beauté ne sera pas éternelle, pensa-t-elle, mais tant qu'Abraham trouvera du plaisir à rester avec toi et tant que tu ne feras rien contre moi, je préférerai que mon époux couche avec ma servante plutôt que d'aller choisir, parmi les femmes de sa tribu, une épouse capable de m'humilier dans ma vieillesse. »

Absorbée dans ses pensées, elle suivait néanmoins le regard de Hagar, plein d'admiration pour Abraham.

Contemplant avec satisfaction les mets disposés sur une peau de bête, celui-ci, en bon chef de tribu, loua l'adresse de ses fils, leurs qualités de chasseurs, sans oublier de rendre hommage à la maîtresse de la maison. Hagar rougit de plaisir. Abraham eut quelques paroles élogieuses pour la beauté et l'élégance des cornes à boire qu'il remplit lui-même en versant le vin d'une cruche en argile apportée par un de ses serviteurs.

Reflétés par quelques nuages moutonnants, les rayons du soleil couchant éclairaient encore le sol, mais quatre flambeaux répandaient déjà leur lumière dans la tente. Devant le mur de pierres qui l'entourait se tenaient trois musiciens égyptiens, commandés par Hagar.

– J'ai tout fait pour que ma cuisine ne soit pas indigne de ce magnifique butin ! Tu peux être fier de tes fils, Abraham, ils tiennent de toi, dit Hagar, désireuse de lui rendre ses compliments. Elle se tourna ensuite vers Sara et lui dit sur un ton d'excuse : « Je me suis fait un tel mauvais sang pour Isaac ! Ismaël n'aurait pas dû le prendre avec lui pour passer la nuit dans la forêt. »

– Un garçon ne peut pas rester éternellement auprès de sa mère, répondit Sara, sans rien dire de ses propres angoisses. En effet, c'est seulement sur l'insistance d'Abraham qu'elle avait laissé partir Isaac et, même après le retour de celui-ci, son inquiétude ne s'était pas encore apaisée.

En plein milieu du repas, elle comprit enfin la véritable origine de ce sentiment : les propos de Loth avaient fait naître la suspicion en son cœur. Je devrais mettre Abraham en garde contre le fils de notre frère, se dit-elle, mais elle rejeta aussitôt cette idée : Abraham refuserait de croire que Loth était capable d'intriguer contre son fils aîné et la mère de celui-ci. Sara préférait oublier tout ce que lui avait dit Loth, ce qu'on lui avait raconté à son sujet et tout ce qu'elle savait elle-même de ses intrigues. Elle ne put cependant s'empêcher, à diverses reprises, de jeter un regard angoissé vers Isaac et Ismaël.

Celui-ci servait le savoureux gibier avec la dignité d'un prince du désert et la grâce d'un serviteur égyptien : né de l'union de Hagar et d'Abraham, n'était-il pas les deux à la fois ? Sara, comme toujours, était subjuguée par son charme. Par ailleurs, l'exquise prévenance de Hagar mettait du baume sur son cœur.

– Comme tu es aimable avec moi, chère Hagar, dit-elle d'une voix suffisamment forte pour que tous puissent l'entendre. Elle fut heureuse de voir Abraham esquisser un sourire de satisfaction.

Cependant, en regardant Isaac, elle fut de nouveau assaillie de doutes. Elle se souvint tout à coup de la remarque de Loth. « Mon fils cherche-t-il vraiment à imiter Ismaël ? Il n'a pas la grâce de son demi-frère, se dit-elle. Issu de la semence d'un Hébreu et du ventre d'une Hébraïque, il n'aura jamais le charme raffiné d'un Égyptien. Plantée dans un terreau favorable, la semence produit des fleurs éblouissantes, or la matrice de Hagar est semblable aux rives fertiles du Nil qui, en toutes circonstances, donnent des plantes vigoureuses. Lequel des deux, d'Isaac ou d'Ismaël, sera le meilleur chef de son peuple ? Ismaël ne s'alliera-t-il pas un jour avec le peuple égyptien dont Hagar est originaire ? Loth a-t-il eu raison d'affirmer qu'Isaac admire et idolâtre Ismaël ? Et celui-ci ne sera-t-il pas tenté d'abuser de son ascendant sur mon fils ? Loth y verrait-il plus clair que moi-même ? »

Pendant que la conversation évoquait les péripéties et les difficultés de la chasse, Sara se surprenait à méditer sur l'avenir d'Isaac, sujet qui, jusque-là, ne l'avait guère préoccupée. Elle était en effet persuadée qu'Abraham veillerait à ce que, conformément à la promesse de son Dieu, son fils devînt le chef de son peuple et non le serviteur de son frère.

« Ma foi, je deviens comme Loth », se dit-elle, maussade. Mais elle chassa cette pensée et se tourna vers l'autre épouse :

– Hagar, ma chérie, ne voudrais-tu pas danser pour nous ? lui demanda-t-elle pour faire plaisir à Abraham, et parce que sa servante préférée avait toujours su la charmer avec des danses d'abord gracieuses, puis de plus en plus lascives.

Accédant à la demande de sa maîtresse, Hagar fit signe à ses deux servantes. À peine les trois femmes s'étaient-elles mises à danser que Sara se sentait revenue au temps de ce palais au bord du Nil, quand elle était la plus belle des concubines du pharaon. Elle se remémora leurs chaudes nuits d'amour et oublia les paroles de Loth.

Sur le chemin du retour, elle se demanda si son mari allait décider de passer la nuit avec elle ou d'aller rejoindre Hagar dans son lit. Elle ne put retenir cette question :

– Dis-moi, Abraham, ne penses-tu pas qu'Isaac devrait avoir d'autres compagnons de jeu en dehors d'Ismaël ? Passer tout son temps avec son frère aîné ne lui est guère profitable.

– Ismaël et Isaac ne sont pas seulement demi-frères : ils se complètent. Isaac a le regard plus perçant et l'ouïe plus fine qu'Ismaël, mais celui-ci est imbattable au tir à l'arc. Il possède le courage du chef intrépide que rien n'arrête pour conduire son peuple à la victoire ; en revanche on décèle dès maintenant chez Isaac les germes de cette sagesse et de cette patience qui permettront à son peuple d'éviter la guerre. Si je pouvais réunir en un seul homme les qualités de mes deux fils, je serais sûr que le jour où je fermerai les yeux pour toujours, mon peuple sera assez fort pour tenir tête à tous les rois et les pharaons qui chercheront à le soumettre.

– Ne me parle plus jamais de fermer les yeux pour toujours ! Je ne veux pas t'en entendre parler. Peut-être, pour retrouver ta jeunesse, aurais-tu besoin d'une nouvelle épouse ?

Sara regretta aussitôt d'avoir laissé échapper ces paroles. « Abraham pourrait penser qu'elles sont dictées par la jalousie, pensa-t-elle. Or, comment serais-je jalouse de ma propre servante ? Il ne faut plus que je pense à ce que m'a dit Loth. Je ne parlerai plus à Abraham des rapports entre Isaac et Ismaël. »

Elle fut incapable de tenir sa promesse et, chaque jour qui suivit, elle y fit une ou deux allusions. Tantôt Abraham feignait de ne pas entendre, tantôt il faisait comprendre par des voies détournées que les remarques acerbes de sa femme le contrariaient. Enfin, un jour, Sara prit sa décision :

« Avec mes allusions, je risque de rompre définitivement les quelques liens qui existent encore entre Abraham et moi, se dit-elle. Le mieux serait de lui dire ouvertement ce qui me pèse sur le cœur. Et il fera ce que bon lui semblera. Peut-être Hagar et les autres transfuges venus des bords du Nil devront-ils partir s'établir dans un campement lointain ? Peut-être seront-ils autorisés à y élever ces maisons en pierre dont ils raffolent. Toujours est-il qu'une fois séparé d'Ismaël, Isaac trouvera des camarades de son âge au sein de notre peuple ou dans les tribus que nos pérégrinations nous conduiront à côtoyer. »

***

Un soir qu'Abraham n'avait pas, comme de coutume, réagi à ses remarques sur Isaac et Ismaël, Sara perdit patience et, donnant libre cours à une amertume trop longtemps contenue, dit à son mari d'une voix courroucée :

– Chasse donc cette servante et son fils Ismaël !

Un silence glacial accueillit cette explosion. Surprise elle-même par sa violence, Sara se demanda aussitôt :

« Pourquoi craindre à ce point ma propre domestique ? Aurait-elle appris ce que m'ont fait ces trois charlatans ? Connaît-elle l'histoire de cette princesse égyptienne vierge qui, un jour, se réveillant d'un sommeil profond, trouva dans ses bras Emserus, son fils nouveau-né ? Sait-elle que, pendant les mois où j'attendais Isaac, j'ai souffert comme n'importe quelle femme destinée à enfanter dans la douleur ? Je connais Hagar : elle ne prononcerait jamais un seul mot susceptible de chagriner Abraham. Mais, après la mort de celui-ci, ne risque-t-elle pas de se tourner contre mon Isaac et d'intriguer pour la part d'héritage de son fils ? »

Mais toutes ces considérations ne justifiant pas à ses yeux l'exhortation qu'elle venait d'adresser à Abraham, elle ajouta pour elle-même :

« Comme moi-même, Hagar sait sans doute ce qu'on raconte sur les filles de Loth. Si elle continue à rester avec nous, elle finira par apprendre ce qu'elle ignore encore. Mieux vaut me débarrasser d'elle, avant qu'il ne soit trop tard. »

Alors, levant sur Abraham un regard fulgurant, elle s'écria derechef :

– Chasse-les, Abraham ! Le bâtard d'une servante ne peut pas partager ton héritage avec mon fils ! C'est à moi que le pharaon a fait don de tous ces biens et de tout ce bétail !

Une grande colère s'éleva dans le cœur d'Abraham, mais à la vue de ses lèvres contractées, de ses yeux qui jetaient des éclairs, il préféra ne rien dire. Cette expression sur le visage de Sara, il la connaissait depuis bien avant leur séjour en Égypte et savait qu'il ne devait pas envenimer les choses. Tout à coup, il entendit la Voix :

– Qu'aucune colère contre ta femme n'habite ton cœur !
Vis en paix avec elle et ne lui fais pas la guerre à cause de
cette servante et de son fils. Cède à Sara, quoi qu'elle te
dise, car ton peuple portera le nom du fils de son fils Isaac.
Et ne te fais aucun souci pour Hagar et Ismaël. Issu de ta
semence, le peuple que formeront ses descendants sera un
grand peuple, car je le veux ainsi.

Croyant entendre les paroles de son Dieu, Abraham
dit à Sara :

– Hagar est ta servante. Agis avec elle comme bon te
semble.

– Dans ce cas, chasse-la. Que je ne la voie jamais plus !
Et fais en sorte que, tant que tu seras en vie et que tu auras
pouvoir sur lui, Ismaël ne paraisse plus devant tes yeux ni
devant ceux d'Isaac.

Ces paroles attristèrent profondément Abraham. Mais,
se souvenant de l'avertissement de Dieu – qu'il répéta mot
pour mot à Sara – il obéit à son épouse.

**

Comme toujours, Sara se réjouit de voir son mari se
soumettre à sa volonté, mais cette joie fut éphémère. Au
lieu de lui apporter un quelconque soulagement, les
paroles d'Abraham lui inspirèrent de nouvelles craintes.

« S'il a suffi que Dieu lui parle pour qu'Abraham
repousse aussitôt son Ismaël bien-aimé, ne serait-il pas
prêt à sacrifier Isaac si Dieu le lui demandait ? » se dit-elle.

Et elle espérait bien que Celui qui habite les cieux
détournerait son regard de son cœur tourmenté.

Chapitre II

Le lendemain, Abraham se leva dès l'aube et se rendit auprès de Hagar. Il lui remit du pain et une outre remplie d'eau, appela Ismaël auprès de lui et les congédia tous les deux.

Bien qu'aucune larme ne roulât sur son visage ravagé par le temps, Abraham éprouva une douleur poignante. D'abord glacé, son cœur se mit à battre avec une violence inouïe. Submergé par la colère, Abraham interpella Dieu avec dureté :

– Regarde-moi, Seigneur, regarde ce que j'ai fait pour t'obéir !

Comme toujours, c'est à voix haute qu'il s'adressait à son Seigneur. Sous l'emprise de la peine qui étreignait son cœur, c'est même d'une voix tonitruante qu'il avait prononcé ces premières paroles. Se souvenant que tout le monde dormait autour de lui, il poursuivit plus bas, sur le ton de la supplique :

« Contemple-nous, Seigneur, du haut de Ton ciel
et vois la douleur de la mère
dont Tu as béni les entrailles
afin que ma semence puisse germer en elle,
vois la douleur du fils qui en est issu.
Connais-Tu, là-haut, dans les cieux,
la souffrance du fils repoussé par son père ?
Celle de l'épouse répudiée qui avait mis sa confiance

en son époux.
Ne vois-Tu pas, Seigneur, comme je souffre moi-même
de les avoir abandonnés ? »

Le cœur rempli d'amertume, s'apitoyant sur lui-
même, Abraham se tut et attendit un signe de Dieu. Avait-
Il seulement entendu sa plainte ? Voyait-Il le désespoir de
la mère et du fils chassés de leur demeure ? Aucune
réponse ne lui étant parvenue, Abraham poursuivit :

« Tu m'as demandé de céder à mon épouse, Sara,
Mais qui lui avait suggéré ses paroles ?
Était-ce Toi, Seigneur,
Ou est-ce le serpent sifflant de l'Éden
qui avait planté en son cœur ses mots perfides ?
Oui, est-ce Satan ?
Tu le connais, Seigneur, il est Ta créature,
Car c'est Toi qui as créé toutes choses.
C'était lui, Satan,
celui-là même qui a décidé Ève
à donner à Adam la pomme
que Tu avais maudite. »

Il attendit encore mais, n'ayant perçu aucun signe
venant de là-haut, il continua :

« Regarde-moi, Seigneur,
Je me tiens droit
devant Toi !
Regarde-moi, écoute ma question :
Es-tu toujours notre Providence ?
Je sais que Tu m'entends, Toi qui m'avais ordonné
de faire tout ce que j'ai fait,
C'est pourquoi je Te demande derechef :
Es-Tu toujours notre Providence ?
Ou est-ce seulement de temps à autre
que Tu Te mêles de nos affaires ?

Sommes-nous seulement Tes jouets,
Seigneur ?
T'occupes-Tu de nous seulement
quand cela Te plaît,
quitte à jeter Tes créatures aux orties
dès que Tu es las de ce jeu ? »

Tremblant de peur, Abraham espérait échapper à la
foudre de Dieu. Puis, sa colère ayant pris le dessus, il
recommença à poser au Seigneur les questions qui le tourmentaient depuis longtemps, sans qu'il eût jamais osé les
formuler.

« Est-ce toujours Toi qui tiens les rênes de ce monde ?
Ou les cèdes-Tu quelquefois à Satan ?
À moins que ce ne soit lui-même qui te les prenne
chaque fois qu'il en a envie ?
Es-tu là, Seigneur ?
Ou Te caches-Tu quelque part, honteux
d'avoir causé tant de souffrances
avec tes petits jeux,
en dressant l'un contre l'autre l'époux et son épouse ?
Sais-Tu, Seigneur,
que, sur Tes ordres, nous avons donné un exemple
que des millions d'êtres humains vont suivre ? »

Le châtiment divin n'arrivant toujours pas, Abraham
continua. Semblables au grondement d'un ciel orageux,
ses paroles coulaient à flots :

« Tu avais béni les entrailles de Hagar
afin que ma semence puisse germer en elles,
le bonheur avec lequel elle a accueilli son fils
et mon amour pour le fruit de ses entrailles
étaient l'effet de cette bénédiction.
Ô mon fils, Ismaël, Ismaël !
Is-ma-ël ! »

Abraham se tut et s'efforça de réprimer ses sanglots.

« Ismaël, ma première semence
qui ait pris en Hagar,
fruit de Ta bénédiction, Seigneur !
reprit-il ensuite.
Mon grand amour pour Hagar
était aussi le fruit de Ta bénédiction,
c'est à Toi que je le dois, Seigneur.
Mais si Tes bénédictions
doivent nous infliger d'insupportables souffrances
ne vaudrait-il pas mieux pour nous
de subir Ta malédiction ? »

Apaisé, il énuméra dans une prière tous les bienfaits dont le Seigneur l'avait comblé. Puis, sa colère éclata à nouveau et il interpella Dieu d'une voix puissante. Une fois encore, aucune réponse ne lui parvint. Alors, enhardi, il poursuivit son interrogatoire :

« Tes bénédictions, Seigneur, en sont-elles vraiment ?
L'enfant que m'a donné Sara pour que je l'aime,
en est-il vraiment une ?
Ne deviendra-t-il pas un jour un instrument entre Tes mains
pour me frapper ?
Ce que Tu me donnes de la main droite,
Tu le reprends de la main gauche, Seigneur ! »

Pressé par ses propres questions, il ne fit qu'une courte halte, avant de reprendre :

« Et cette femme, Saraï,
que Tu m'as donnée pour épouse
et que Tu as appelée Sara,
est-elle Ta bénédiction ou Ta malédiction ?
Tu m'as ordonné de faire ce qu'elle souhaite.

Mais maintenant que c'est fait,
veilleras-Tu à ce que mon épouse
atténue ma terrible douleur
ou bien la laisseras-Tu profiter de ta protection
pour m'infliger un plus grand tourment,
jusqu'au jour où, me réfugiant auprès de Toi,
je Te supplierai de me la prendre ? »

Ruisselant de ses lèvres, ses paroles entraînaient le malheureux prophète comme un fleuve en crue emporte les chétifs arbrisseaux qui poussent sur ses rives. Cependant, il s'efforça de freiner sa langue :

« Comment, hommes faillibles, pourrions-nous
distinguer
entre ce qui est Ta bénédiction et ce qui est Ta
malédiction ?
Comment savoir ce qu'appellent nos actes
sur nos têtes ?
Te réjouis-Tu de nos peines
ou es-Tu jaloux de la joie
que nous trouvons les uns dans les autres ?
Réponds, Seigneur ! »

En vain il tendit l'oreille puisque aucune réponse ne vint. De plus en plus hardi, il poursuivit :

« Et que fais-Tu de l'Alliance
que Tu as conclue avec moi ?
Tu as tenu à ce que, selon notre pacte,
je n'adore pas d'autres dieux que Toi,
mon seul Dieu véritable.
Je ne peux pas m'adresser à d'autres dieux,
lorsque Tu me réduis en poussière !
Si Tu nous demandes de couper
le prépuce de nos membres virils,
est-ce pour signifier que nous participons avec Toi

à la création
ou plutôt pour nous marquer d'un sceau,
comme l'on fait avec les esclaves en Égypte ?
Sommes-nous donc Tes esclaves, Seigneur ? »

Abraham redouta que le Seigneur le frappât à mort
pour avoir remis en question ces fondements de leur
Alliance. Mais les cieux ne s'ouvrirent point. Ce fut à nouveau le prophète qui brisa le grand silence :

« Les esclaves du pharaon souffrent cruellement,
eux aussi,
mais au moins ils élèvent des monuments
qui garderont jusqu'à la fin des temps
le souvenir de leurs peines, de leur sueur,
et de toutes les vies sacrifiées.
Leurs dieux acceptent gracieusement
et protègent les édifices dressés en leur honneur…
Mais Toi, pourquoi as-Tu démoli
la grande tour que notre peuple avait bâtie
pour Ta gloire ?
Pourquoi as-Tu contrecarré
la volonté de nos pères de construire
la tour de Babel ?
Pourquoi as-Tu confondu leurs langues?
Pourquoi as-Tu semé la zizanie parmi eux ?
Aurais-Tu été effrayé par la puissance
de leur imagination ?
Par leur intention de créer à leur tour ?
Ne veux-Tu de nous qu'en tant qu'esclaves
prêts à accomplir Ta volonté ?
Détruis-Tu ce que nous construisons
pour glorifier nos âmes
et pour nous permettre de nous dépasser encore ?
Ou bien souhaiterais-Tu que nous anéantissions
toutes les tours, tous les sanctuaires
que d'autres peuples ont construits pour Ta gloire ?

Ces peuples qui, même s'ils n'obéissent pas
à la lettre à tous Tes commandements,
même s'ils ne satisfont pas à tous Tes caprices,
T'aiment dans leur cœur tout autant que nous
T'aimons. »

Il se tut encore mais, une fois de plus, il ne reçut aucune réponse. Alors, il posa à son Seigneur la question dont il n'avait jamais osé mesurer toute la portée :

« Si Tu as voulu que je repousse Ismaël,
est-ce parce que Tu le destines à devenir
le chef d'un autre peuple
qui fera la guerre à mon peuple ?
Qui es-Tu, Seigneur ? Le Dieu
de l'Éden et de la Création
ou celui de la destruction qui a infligé à nos pères
– Toi seul sais pourquoi –
le Déluge ?
Le Déluge dont très peu d'êtres sont sortis indemnes
dans une barque délabrée et malodorante.
Qui es-Tu, Seigneur,
Toi qui trouves Ton plaisir
dans la fumée sacrificielle d'Abel,
Toi à qui déplut le sacrifice présenté par Caïn
pour Ta plus grande gloire ?
…Et si Tu es les deux
– car Tu as dit que Tu étais notre seul et unique Dieu –,
voudrais-Tu nous dire
pourquoi Tu as permis que périsse
le frère qui T'était cher
et que celui que Tu as renié
– nous ne comprenons pas pourquoi –
vive et se multiplie ? »

N'ayant toujours pas obtenu de réponse à ses questions, Abraham continua sa prière :

« Ne vois-Tu pas, Seigneur,
que ma douleur est trop vive
pour que je la supporte ?
Mais si je m'y résigne
– car malgré tout, je bénis Ton nom –,
ne trouveras-Tu pas le moyen
de me prendre ceux que j'ai pu garder avec moi –
jusqu'au jour où je m'écrierai :
Seigneur, ne m'accable plus !
Ce jour-là me donneras-Tu
dix enfants de sexe masculin,
dix enfants de sexe féminin ,
dix épouses,
me donneras-Tu dix mères
afin que je souffre dix fois plus
le jour où Tu me les prendras ?
Me donneras-Tu encore plus de moutons
et encore plus de chèvres,
encore plus de bétail, encore plus d'or,
rien que pour voir ma grande douleur
le jour où un à un ou tous d'un seul coup
Tu me les reprendras ?
Est-ce pour avoir de quoi T'amuser
que Tu nous a ordonné de multiplier
et de remplir la terre ?
Chaque fois que Tu abaisses Ton regard sur nous,
génération après génération,
Tu ne vois qu'horreurs et effusion de sang.
Tes oreilles préfèrent entendre nos plaintes
et nos gémissements
plutôt que les cris que nous lançons
au comble de notre plaisir
en bénissant Ton nom. »

Cette fois, Abraham attendit longtemps la réponse, mais toujours en vain. Il décida donc de poser d'autres questions à son Seigneur céleste :

« Dis-moi, Seigneur,
entends-Tu nous mettre à l'épreuve ?
Veux-Tu connaître nos limites,
savoir jusqu'à quel point Tu peux nous faire souffrir
sans que nous cessions de bénir Ton nom ?
Veux-Tu nous accabler jusqu'à ce que, fous de douleur,
nous allions maudire le jour où nous sommes nés ?
Veux-Tu nous infliger alors un coup fatal
après lequel, muets, nous ne puissions plus
qu'élever nos poings vers le ciel ?
Est-ce pour cela que nous sommes Ton peuple élu ?
Dis-moi, Seigneur, veux-Tu que nous T'aimions
ou bien attends-Tu jusqu'à ce que la haine
durcisse définitivement
notre cœur rempli d'amertume ? »

En fait de réponse, Abraham ne perçut que les battements de son cœur déchiré. Alors, dans un dernier sursaut, il s'écria :

« Maudite soit la terre où mon cœur me fut arraché !
La terre qui a bu mes larmes
comme, après une longue période de sécheresse,
elle boit les premières gouttes de pluie !
Maudite soit cette terre
où je me tiens debout, tout seul ! »

Abraham avait prononcé ces dernières paroles d'une voix tonitruante qui fit sortir précipitamment des tentes leurs occupants. Dans la grisaille de l'aube, ceux-ci virent le spectacle d'un père jetant un dernier regard vers son fils qui, d'un pas lent, sans jamais se retourner, s'avançait vers le lointain horizon.

Le fils, déjà grand et vigoureux, dépassait sa mère d'un centimètre. De son bras droit, il la soutenait en entourant ses épaules. Concubine amoureuse et fidèle d'Abraham pendant de longues années, Hagar, accablée, marchait d'un pas mal assuré aux côtés de son fils, lequel, dans sa main gauche, tenait un pain et une outre remplie d'eau.

Sachant qu'il les voyait pour la dernière fois de sa vie, Abraham eut un dernier cri de douleur :

« Maudite, sept fois maudite soit cette terre ! »

Une immense colère s'empara de son cœur. Il ordonna à ses hommes de plier toutes les tentes à l'exception de celle de Hagar, dont les ornements – peaux de bête, tissus, tapis, riches vêtements venus des bords du Gange – resteraient exposés aux vents, à la pluie et au soleil. Restait aussi ce mur de pierres entourant la tente où Hagar avait conçu Ismaël et passé tant d'heures délicieuses avec Abraham, mur qui devait garder à jamais le souvenir de ces années-là. En dehors de cette enceinte, la seule construction qu'Abraham laissât derrière lui était l'autel où il avait présenté ses sacrifices à son Dieu.

***

Ses hommes s'empressèrent de charger leurs biens sur le dos des ânes et des chameaux, puis tournèrent leur regard attentif vers Abraham. La gorge serrée, la langue paralysée depuis qu'il avait proféré son ultime malédiction, le vieux chef indiqua de son bras la direction opposée à celle qu'avaient prise les deux êtres qu'il venait de chasser. Le convoi s'ébranla : ce peuple savait qu'en quittant ces lieux, il était condamné à une errance perpétuelle, car il ne pourrait jamais plus vivre en paix sur ce sol qu'Abraham avait marqué de l'unique larme qu'il eût jamais versée.

Chapitre III

Ayant trouvé de nouveaux pâturages, ils plantèrent leurs tentes. La douleur d'Abraham s'apaisa lentement et il entendit à nouveau la voix de son Dieu. Il comprit aussi ce que l'on chuchotait autour de lui et apprit ainsi que Hagar et Ismaël se trouvaient dans le désert de Beer Shéva et que son fils, Ismaël, s'était refusé à boire dans l'outre qu'ils avaient reçue pour le voyage, se contentant de mouiller ses lèvres chaque fois qu'il la tendait à sa mère pour qu'elle se désaltérât. Leurs réserves épuisées, ils étaient restés plusieurs jours sans rien boire. Et c'est torturés par la soif qu'ils avaient échoué dans le désert.

En apprenant cela, Abraham pria son Dieu de les conduire à la source de Beer Shéva et dit à un de ses hommes qui connaissait bien ce désert :

– Sois l'ange de la miséricorde et va chercher ce puits que nous avons recouvert il y a quelques années après y avoir abreuvé nos troupeaux. Découvre-le, puis cache-toi en veillant bien à ce qu'ils ne te voient pas et avertis Hagar et son fils afin qu'ils trouvent l'eau et que tes cris leur redonnent du courage. Ensuite reviens auprès de moi.

Chapitre IV

Depuis le départ d'Ismaël, les jours d'Isaac étaient empreints d'une profonde tristesse et l'insomnie lui faisait paraître obscures et interminables les nuits. Devant les souffrances inconsolables de son second fils – alors que la pleine lune était revenue à plusieurs reprises depuis que les exilés eurent quitté le campement –, Abraham partit se retirer dans le désert pour prier et demander conseil à son Dieu.

Pendant la deuxième nuit qui suivit le départ de son père, Isaac attacha sur le dos d'un âne deux outres pleines d'eau et autant de vivres que l'animal pouvait en supporter puis, saisissant la longe, il conduisit celui-ci hors du camp où chacun dormait du sommeil du juste.

Connaissant l'immense étendue du désert, il avait, feignant une simple curiosité, interrogé les domestiques sur l'emplacement de Beer Shéva. Il leur avait demandé sous quelles constellations la source se trouvait, à combien de jours de marche et s'il n'y avait pas, à proximité, un cours d'eau au lit asséché qui y conduisait. Il espérait ainsi retrouver Ismaël, qui lui avait appris à s'orienter d'après la position des étoiles là où le désert sans fin rend l'œil inexpérimenté incapable de se repérer. Bien qu'Isaac – dont le nom signifie : « souriant » ou « rieur », mais que, depuis longtemps personne, ni même sa mère, n'avait vu sourire ou rire – eût bien préparé ce voyage, le plus important de sa vie, c'est le cœur tremblant qu'il s'enfonça dans la nuit.

Pour se donner du courage, il pensa à Ismaël, son demi-frère, son compagnon de jeu et seul ami. Il sentait sa main dans la sienne, comme cette nuit-là, dans la forêt d'Adar, alors que les nuages dissimulaient la lune et les étoiles et que, effrayé par les mystérieuses silhouettes qu'il croyait apercevoir à la lueur des éclairs, il s'était agrippé au bras de son frère.

« Nous nous étions réfugiés dans une grotte, dit-il à mi-voix à la figure qu'il évoquait – à moins que, dans ce silence du désert, il imaginât seulement avoir parlé. Ange gardien, tu te penchais sur moi en serrant bien fort ma main. Tu veillais sur moi, mais les lueurs intermittentes éclairaient, en même temps que ton regard affectueux, ton sourire quelque peu triste. Autrefois, quand nous jouions ensemble, ton visage rayonnait de bonheur… Était-ce il y a un an ou seulement quelques mois la première fois que j'ai lu de la tristesse dans ton sourire ? Pressentais-tu le sort qui t'attendait ? Si oui, pourquoi n'as-tu pas partagé ton angoisse avec moi ? Nous aurions pu nous enfuir ensemble, à l'instar de mon père qui, pour échapper à l'autorité paternelle, a abandonné sa maison. Fuyait-il, comme moi, la colère de son père ? Certes, à l'époque, il était plus âgé que toi, puisque c'est avec son épouse, sa sœur cadette, qu'il a fugué. »

Pour la première fois de sa vie, Isaac s'interrogeait sur les raisons qui avaient poussé son père à abandonner sa famille. « Mes parents auraient-ils été chassés par leur père, le païen Tharé, que certains dépeignaient comme un homme particulièrement cruel ? Mais pourquoi ? Était-ce pour obéir aux ordres de ses dieux ? Mon père n'affirme-t-il pas que c'est la voix de son Dieu unique qui l'a conduit sur la terre de Canaan et que c'est sur l'ordre divin, et malgré la douleur de son cœur, qu'il a chassé ces deux êtres qu'il aimait ? Est-ce ce même Dieu qui m'incite à présent à quitter mes parents pour rejoindre Ismaël ? Ou obéis-je à la voix d'un autre dieu ? »

Dans sa peur, il songea à Hagar. C'est en pensant à Sara,

sa propre mère, que la figure de Hagar venait de surgir dans son esprit.

« À quel moment Hagar a-t-elle deviné le sort qui l'attendait ? Au festin qui avait suivi notre chasse, elle semblait encore insouciante. Pourquoi a-t-elle fondu en larmes quelques jours plus tard, lorsque, torturé par la soif, j'ai couru vers elle ? Autrefois, c'est en souriant de bonheur qu'elle me serrait dans ses bras, et son sourire me remplissait de confiance. Quand j'étais pris de frissons, ma mère avait beau me couvrir de toutes les peaux de bêtes dont elle disposait, je tremblais de froid jusqu'à ce que Hagar ne vînt me réchauffer en me pressant contre sa poitrine. Certains disent qu'elle m'a sauvé la vie. Alors, pourquoi mon père l'expose-t-il à présent à un danger mortel ? Pourquoi ? »

Ces pensées évoquèrent en lui l'image de la mort. Alors, dans l'obscurité de la nuit, il sentit qu'il cherchait refuge auprès de Hagar ou peut-être auprès de l'ange du Dieu unique auquel Isaac identifiait Hagar chaque fois que sa mère lui parlait des serviteurs célestes de Dieu, incarnations de la beauté, de la bonté et de la solidarité.

Isaac pressa le pas, traînant par sa longe l'âne surchargé que ni la peur de la nuit ni l'espoir de voir apparaître la lumière des étoiles n'incitait à avancer.

Il marcha ainsi toute la nuit, sans s'arrêter. Le lendemain, pour fuir l'ardeur du soleil, il dormit dans le peu d'ombre que lui offrit un arbre malmené par la tempête et but juste assez pour ne pas mourir de soif. C'est à Ismaël et à sa mère qu'il réservait l'eau des deux outres, car il savait que celle, impure, du puits de Beer Shéva menaçait d'empoisonner à la longue ceux qui en buvaient. Pour soulager l'âne, Isaac arracha du sol certaines racines capables d'atténuer sa soif. Estimant qu'il était suffisamment éloigné du campement, il se décida dorénavant à marcher le jour. Durant les nuits, pour dissiper l'obscurité, il pourrait allumer un feu.

Une nuit, en voyant apparaître à l'horizon la silhouette d'un homme de haute taille monté sur un chameau, il se rappela que le feu risquait de signaler sa présence à des brigands. L'inconnu avançait rapidement, et il était trop tard pour éteindre le feu. Isaac y jeta donc un fagot de brindilles et alla se cacher derrière un rocher, tout en abandonnant son âne et ses vivres, Ismaël lui ayant appris que c'était là le meilleur moyen de se prémunir contre une agression éventuelle. Lorsque le chameau s'agenouilla dans le sable et que l'inconnu mit pied à terre, le jeune garçon crut mourir de peur : l'immense silhouette lui dissimulait la lueur des étoiles et sa voix de tonnerre semblait émaner de Dieu lui-même :

— Isaac, Isaac, pourquoi te caches-tu à ma vue ? Montre-toi, Isaac !

En reconnaissant la voix, Isaac éprouva un immense soulagement.

— C'est donc toi, Omaan ? s'écria-t-il. Serais-tu venu pour me ramener auprès de mon père, lui qui a abandonné son fils aîné au désert cruel de Beer Shéva ? Je tends mon arc, te destinant ma flèche la plus rapide, car je ne reviendrai jamais chez un père qui a chassé mon frère !

— Ce n'est pas ton père qui m'envoie, Isaac. Il est dans le désert où il consulte son Dieu à ton sujet. C'est chez ta mère, Sara, que je dois te ramener. Elle mourra si tu ne reviens pas.

N'obtenant aucune réponse, Omaan poursuivit :

— Si tu veux revoir Ismaël, c'est à Abraham, notre puissant seigneur, que tu dois en parler. Viens, Isaac ! Le chemin qui mène à Beer Shéva est semé d'embûches et le désert est trop vaste pour que tu puisses espérer y retrouver les deux exilés. Reviens avec moi auprès de ta mère et va parler avec ton père d'Ismaël. Prie pour que son Dieu unique lui dessille les yeux et lui fasse comprendre qu'en chassant ceux qu'il a tant aimés, il a commis une grave injustice.

En vain l'Égyptien guettait-il le bruit des pas d'Isaac.

— Avec l'aide de Dieu, ton père finira par admettre que, pour vivre en paix avec lui-même et pour permettre à ses descendants de vivre en paix entre eux et avec leurs voisins, il lui faut se réconcilier avec son fils aîné. Ton père, Abraham…

Tout en continuant à parler, Omaan s'éloignait lentement du feu et se dirigeait vers le jeune garçon. Mais Isaac veillait.

– Ne t'approche pas, Omaan, Reste près du feu pour que je te voie bien.

La gorge serrée, prêt à fondre en larmes, Isaac voulait néanmoins donner l'apparence d'un homme intrépide. Pourtant, il savait que, même en tendant son arc au maximum, il serait incapable de décocher sa flèche sur Omaan.

– Je t'obéis, Isaac ! Je m'assieds ici et m'expose à ta flèche, mais que feras-tu une fois que celle-ci aura percé mon cœur ? Comment affronteras-tu l'esprit de la nuit où les mêmes étoiles contempleront ton corps et ma dépouille ? Pourquoi ne viens-tu pas plutôt t'asseoir en face de moi ? Je pourrais alors surveiller à mon aise l'obscurité qui s'étend derrière toi comme tu pourras scruter celle à laquelle je tourne le dos et déjouer toutes les menaces que recèle cette impénétrable nuit.

L'émissaire de Sara maniait habilement la parole et ce don lui avait permis de maîtriser bien des situations délicates. Connaissant l'imagination et la sensibilité d'Isaac, il lui épargna le récit des méfaits de ces êtres surnaturels qui peuplent la nuit, récit qui aurait pu effrayer à en mourir même un homme adulte. Il ne leva même pas le regard lorsqu'il entendit craquer une branche sous les pas d'Isaac. Le jeune garçon s'était en effet rapproché, mais restait toujours hors d'atteinte.

– Dis-moi, Omaan, qu'a donc fait Ismaël pour attirer la colère de mon père et mériter un sort pareil ? demanda Isaac, la voix tremblante. J'ai interrogé plus d'une personne travaillant chez nous ou auprès de Hagar, mais aucune d'elles ne se souvient d'un geste ou d'une parole d'Ismaël susceptible de blesser notre père. Dis-moi, Omaan, pourquoi a-t-il donc mérité un sort aussi cruel ?

Tout en sachant qu'il lui était impossible d'éluder cette question, Omaan se contenta de lever sur Isaac un regard muet. En réalité, il ignorait la réponse : il l'avait cherchée en vain le jour où sa maîtresse l'avait chargé en secret de cette mission. En secret, car Sara voulait éviter que la nouvelle du départ de son fils l'abandonnant à la recherche de son frère ne s'ébruitât.

– Il ne faut surtout pas qu'Abraham se doute de quelque chose ! lui avait dit Sara. Tu ne dois révéler à personne l'objet de ta mission !

Pour tenter de répondre à Isaac, Omaan se remémora les événements qui avaient entouré l'expulsion d'Ismaël. De multiples pensées surgissaient, informes, dans son esprit.

« Après avoir maudit la terre qu'il foulait de ses pieds, Abraham n'a rien dit à ma maîtresse qu'il n'a pas rejointe dans sa tente, se dit-il. Et, lors de notre quête d'un endroit propice à l'établissement d'un nouveau campement, jamais il ne s'est approché du chameau de Sara. Celle-ci, le regard perdu dans le vague, semblait ignorer souverainement le peuple qui grouillait autour d'elle. Son Esprit serait-il responsable du malheur d'Ismaël ? Aurait-elle dressé Abraham contre son fils et contre sa seconde épouse, deux êtres qu'il aimait pourtant de tout son cœur ? Est-ce Loth qui lui a suggéré cette idée, comme nous l'en supposions capable, Hagar et moi, depuis des années ? Quelle peur, quelle inquiétude a-t-il bien pu susciter dans le cœur de Sara pour que celle-ci conçoive une telle haine envers Hagar et Ismaël ? Que sait-il qui lui aurait permis d'ébranler son assurance pourtant légendaire ? Le bruit court que ce n'est pas elle qui a accouché d'Isaac. En serait-il vraiment ainsi ? »

Omaan se sentait parfaitement capable de répondre à toutes ces questions, mais il préféra s'en abstenir.

« Même si j'étais sûr de détenir la vérité, je n'en dirais rien à Isaac, décida-t-il. Comment cet enfant pourrait-il supporter d'être déçu à la fois par sa mère, son père et...

son Dieu ? Car quelles qu'aient été ses raisons, c'est au vu et au su de sa femme et de son Dieu céleste, voire sur l'ordre de l'une ou l'autre, qu'Abraham a agi. Sans cela il n'aurait pas maudit… »

Omaan savait qu'il n'était pas loin de la vérité, une vérité qu'il lui était impossible de révéler à ce jeune garçon au regard à la fois suppliant et désespéré. Homme tout aussi sensible que sage, Omaan éprouva une vive colère contre son maître, Abraham :

– Un homme qui abandonne son fils au lieu de le protéger, qui le chasse au lieu de le serrer sur son cœur… s'écria-t-il. Mais c'est en lui-même qu'il acheva sa phrase : « … ne mérite pas qu'on l'appelle père ! Un homme qui a renié son fils pour obéir à Dieu… »

La colère bouillonnait en lui à l'idée qu'Abraham était le géniteur non seulement d'Ismaël, mais aussi d'Isaac qui se tenait devant lui en proie à une profonde détresse. Mais Omaan n'était pas homme à laisser paraître ses sentiments. À ses yeux, la cruauté d'Abraham était un mystère, un mystère douloureux.

« Celui qui n'est pas attaché à la terre où il vit peut, sans doute, se permettre de la maudire et, ensuite, de la quitter. À ses yeux, être condamné à errer dans le désert n'est peut-être pas le pire des châtiments… Mais alors pourquoi Abraham paraissait-il si accablé, comme s'il avait, d'un coup, vieilli de dix ans ? »

Omaan comprit qu'il n'existait pas d'explication capable d'apaiser le cœur de l'enfant qui tremblait devant lui.

– Viens, Isaac, lui dit-il en lui tendant la main, viens t'asseoir près du feu. Tu me poses une question à laquelle je ne peux pas répondre. Si tu acceptes de revenir avec moi auprès de ta mère, tu pourras t'adresser à ton père. Ses prières, ses méditations dans le désert lui auront sans doute fourni la réponse.

– Je retournerai auprès de ma mère, Omaan, pour atténuer sa douleur, mais comment pourrais-je m'adresser à mon père sans risquer de provoquer sa colère ? Ismaël, dont personne, pourtant, n'a jamais contesté la filiation, souffrira toute sa vie à cause de lui, sans avoir pu lui en demander la raison. Mais moi, est-il sûr que je suis issu de sa semence ? Le doute ne l'a-t-il jamais effleuré à ce sujet ? Ou crois-tu, Omaan, que je n'ai pas d'oreilles, que je n'ai jamais entendu parler des trois inconnus qui, avant ma naissance, ont rendu visite à ma mère ? Et surtout, de celui des trois que tout le monde appelle « paon » et qui, courtisan auprès du nouveau pharaon, a fait cette rencontre avec Mahaart ? Crois-tu que je ne comprenne pas les allusions grivoises à ma parenté égyptienne ?

Omaan prit dans ses bras le jeune garçon qui sanglotait et le serra contre lui. Lorsque Isaac se fut apaisé, il l'installa sur la selle haute et richement ornée du chameau. Il chercha en vain des mots capables d'atténuer son chagrin. Alors, sans rien dire, il le tint contre lui pendant que le chameau se levait péniblement pour se mettre en route.

***

Notoirement paresseux, mais d'une fidélité à toute épreuve (son maître l'appelait « Fatam aux bajoues majestueuses »), le chameau se dressa lentement sur ses larges pattes ; l'embarquement à bord de ce « navire du désert » n'était pas prévu pour deux personnes. Il se montra particulièrement réticent au moment où son maître le fit marcher dans la direction opposée à celle qu'il avait coutume de prendre : Fatam savait qu'en suivant ce chemin, il n'aurait rien à boire pendant deux jours entiers et que l'eau de la fontaine qu'il finirait par trouver ne convenait même pas aux chèvres et aux moutons. Mais son maître, le sage Omaan, éprouvait un grand soulagement à savoir derrière lui l'étoile qui l'avait guidé vers cet enfant dont il tentait maintenant de réchauffer le corps en l'enveloppant de son manteau. N'ayant trouvé aucune parole de consolation, Omaan fredonna des chansons égyptiennes jusqu'à ce que le jeune garçon s'assoupisse sur ses genoux.

***

« Il faut que je connaisse les raisons de la conduite d'Abraham envers Ismaël, afin de prévoir ce qu'Isaac pourrait devenir entre les mains de son père, se dit Omaan. M'ayant permis de le sauver dans l'étendue infinie du désert, les dieux m'ont confié son sort. "Celui que tu prends dans tes bras, accueille-le dans ton cœur" commande un dicton de mon pays. Je suis donc responsable d'Isaac », ajouta-t-il.

***

Obéissant à l'ordre de Sara, Omaan, le cœur lourd, ramena Isaac au camp d'Abraham établi, à cette époque, dans le désert de Khorum, à l'est de la terre de Canaan.

TROISIÈME PARTIE

La tentation d'Abraham

...Or, après ces événements, Dieu mit Abraham à l'épreuve et lui dit : « Abraham » et il répondit : « Me voici ». Il reprit : « Prends ton fils, ton unique, Isaac, que tu aimes. Pars pour le pays de Moriyya et là, tu l'offriras en holocauste sur celle des montagnes que je t'indiquerai. »

Genèse 22, 1-2

Chapitre I

Abraham prit les bûches pour l'holocauste et en chargea son fils Isaac ; il prit en main la pierre à feu et le couteau, et tous deux s'en allèrent ensemble. Isaac parla à son père Abraham : « Mon père », dit-il, et Abraham répondit : « Me voici, mon fils. » Il reprit : « Voici le feu et les bûches ; où est l'agneau pour l'holocauste ? »

Genèse 22, 6-7

– Dis, père, qui apportera sur la montagne l'agneau destiné au sacrifice ? demanda Isaac. Son père, après l'avoir chargé d'un énorme fagot manifestement destiné à un bûcher, prit un couteau et un flambeau et lui fit signe de le suivre.

Ceux qui ne le connaissaient pas auraient pris Abraham pour le grand-père plutôt que pour le père d'Isaac. À le regarder, on eût dit que, depuis l'aube cruelle où il avait dû chasser ces deux êtres aimés, il s'était écoulé non pas six, mais dix-huit ans. Bien que, selon le calendrier hébreu, il n'eût pas encore atteint sa cent vingtième année, il avait le dos voûté et avançait péniblement sur les sentiers abrupts en s'aidant de son bâton.

Personne ne l'avait vu sourire depuis cette fameuse aube.

Taciturne, il ne répondit pas à Isaac. Il ne lui avait pas échappé que les paroles de son fils, bien au-delà d'exprimer une simple curiosité, étaient marquées par une angoisse qui confinait à la terreur. Certes, l'adolescent ne savait pas donner un nom à ses sentiments, mais Abraham le connaissait bien : sa voix tremblante lui faisait plus mal que la massue d'Amraphel qui, à la bataille d'Hobak, avait failli lui arracher un bras.

Dès qu'il eut entendu la voix menaçante de Dieu (« Abraham ! Abra-ham ! »), il sut que son Seigneur céleste allait le soumettre à une épreuve sans précédent.

En comprenant qu'il aurait à sacrifier son fils Isaac, il eut le sentiment que des serpents venimeux envahissaient son cœur pour lui infliger d'éternelles douleurs. Croyant que son fils, comme à son habitude, le suivrait sans prononcer un mot, il n'avait pas prévu ses questions angoissées et celles-ci lui faisaient l'effet d'un couteau enfoncé dans son cœur. Isaac, de son côté, espérait que les paroles de son père chasseraient la peur de la mort qui, de façon incompréhensible, s'était emparée de son cœur.

– C'est un de tes serviteurs qui apportera le bélier, n'est-ce pas ? demanda Isaac, la voix tremblante. Pour scruter le visage de son père, il marchait à reculons. Mais il eut beau répéter la question, le prophète, lèvres serrées, évitait le regard de son fils.

Isaac avait beaucoup changé en six ans. L'enfant qu'il était au moment de l'expulsion d'Ismaël et de Hagar était devenu un beau jeune homme. L'angoisse qu'il éprouvait pour le sort de son frère s'était quelque peu atténuée. En effet, son précepteur, le sage Omaan, lui avait fait comprendre que si Dieu avait ordonné à Abraham de chasser Ismaël, ce n'était pas pour lui faire du tort, mais plutôt pour lui permettre de fonder sa propre tribu dont Hagar, sa mère bien-aimée et admirée, serait à la fois la reine et la fondatrice. Et c'était désormais sans amertume qu'il évoquait le jour où, d'une voix tonitruante, Abraham avait maudit la terre venant d'absorber la seule larme qu'il eût jamais versée. Cependant, devant le silence de son père, il ressentit le même effroi que ce jour-là. « Si, pour obéir à son Dieu, mon père a pu chasser son fils aîné Ismaël, n'agirait-il pas de même avec moi, si le Seigneur le voulait ainsi ? »se dit-il.

Il cherchait désespérément le regard de son père pour y lire son secret. Mais Abraham ne levait pas la tête. De temps à autre, il ramassait une branche sèche et l'ajoutait au fagot d'Isaac. De guerre lasse, celui-ci fit volte-face et avança en fixant le sommet de la montagne.

Montant furtivement parmi les buissons, se dissimulant de temps en temps derrière un rocher, Omaan, l'homme de confiance de Sara, les suivait à une trentaine de pas de distance.

« Que pense faire Abraham ? se demandait-il, assailli de mauvais pressentiments. Il a déjà sacrifié à son Dieu unique ses plus beaux boucs et béliers. Que prépare-t-il en ce moment ? »

***

– Ne faudrait-il pas attendre tes serviteurs qui nous apportent l'agneau du sacrifice ? demanda Isaac d'une voix étranglée par la peur.

Ils avaient dépassé les derniers arbres, tordus par la tempête, et Isaac savait que les serviteurs n'avaient pas le droit d'accéder au sommet ni de se montrer devant l'autel du sacrifice : Abraham les renvoyait auprès de leurs troupeaux dès que le sentier quittait la forêt clairsemée.

Une fois de plus, son père fit semblant de n'avoir rien entendu. Alors, se plantant devant lui, Isaac lui barra le chemin.

– Père, ne sont-ce pas tes bergers qui, dans la vallée, font paître les troupeaux ? Ils t'auraient apporté le plus bel agneau si tu le leur avais demandé.

– Dieu, qui pense à tout, a déjà désigné l'agneau du sacrifice, répondit Abraham en avalant ses larmes.

***

« Cet agneau, ne serait-ce pas ton propre fils ? faillit s'écrier Omaan. Puis, il poursuivit en lui-même : Le mari de ma maîtresse aurait-il perdu la raison ? Aurait-il, une fois de plus, entendu la voix de son Dieu ? Après avoir chassé son fils aîné, l'enfant de la belle Hagar, oserait-il lever la main sur son fils cadet, qui fut donné à Sara ? C'est donc pour cela que Sara m'a demandé d'avoir toujours l'œil sur Isaac ! Celui-ci se doute-t-il désormais qu'il porte sur son dos son propre bûcher ? Pauvre enfant ! Voyons, tout fanatique qu'il est, Abraham ne pourrait pas commettre un tel acte ! Il craint sa femme autant que son Dieu ! Or, même si Abraham prétend avoir accompli la volonté de Dieu en chassant Ismaël et Hagar, c'est à Sara qu'il a obéi. Et maintenant, sur l'ordre de qui s'apprête-t-il à tuer son propre fils ? Quelle peur lui inspire cette funeste décision ? Cette peur lui sert-elle à se débarrasser de la tyrannie de Sara ? »

Telles étaient les réflexions auxquelles se livrait Omaan qui cherchait à comprendre ce qui se passait sous ses yeux et à surmonter sa peur, comme Isaac la sienne.

« Il me faut veiller sur Isaac. Ce garçon est admirable. Son père cherche à attenter à sa vie, mais c'est en lui empruntant ses propos qu'il tente de la sauver. »

***

Aux prises avec le destin qui le menaçait, Isaac dit à son père :

– Si c'est Dieu qui a désigné l'agneau, comment ce sacrifice pourrait-il être le tien ? Ne m'as-tu pas dit que, pour plaire à Dieu, il nous faut sacrifier ce qui nous est le plus cher ?

Il poursuivit en lui-même, en balbutiant :

« …et ce que tu aimes le plus au monde… »

Il n'osa pas achever sa phrase, car les mots « c'est moi » lui auraient révélé l'insupportable vérité.

Au lieu de cela, il continua à harceler son père :

– Pourquoi le Seigneur n'a-t-il pas accepté le sacrifice de Caïn ? Pourquoi ne lui a-t-il pas révélé les raisons de son refus, afin que nous puissions en tirer la leçon ? Toi, qui entends Sa Voix, dis-moi pourquoi Dieu a dressé les deux frères l'un contre l'autre ?

***

– C'est bien, Isaac ! murmura Omaan, essaie donc de confondre ton père, cherche à gagner du temps ! Parle-lui, ne t'interromps pas, et attends au moins que j'arrive à votre hauteur… Mais… au fait… comment pourrais-je m'interposer entre mon maître et son Seigneur unique ? Si je le faisais, la main du Dieu cruel d'Abraham s'abattrait aussitôt sur moi !

Bien qu'il fût entièrement dévoué à Râ, le dieu du soleil, Omaan avait suffisamment entendu parler du tout-puissant Dieu d'Abraham pour le redouter de tout son cœur.

Il s'approcha furtivement.

– Au moins, entendrai-je mieux ce qu'ils se disent. À vrai dire, en ce moment, Isaac est seul à parler.

L'empreinte de la terreur dans la voix du jeune garçon n'avait pas échappé à Omaan.

***

Isaac cherchait désespérément à soutirer une réponse à son père. Il le harcelait de questions sur l'unique, sur l'éternel Dieu, sujet sur lequel il le savait intarissable.

– Tu as dit, mon père, qu'il n'existait qu'un seul Dieu, notre Créateur. Peux-tu lui sacrifier ce qui est à Lui ? Ce qui fait sa joie et son contentement ?

– Tu as raison, mon fils, il n'existe qu'un seul Dieu…

Pouvoir parler de son Seigneur atténuait quelque peu la douleur d'Abraham.

– Ne prête pas l'oreille aux bavardages sur le dieu du soleil, le dieu de la lune, les dieux et les déesses des forêts et des prairies ! poursuivit-il, l'index dressé en signe d'avertissement. Ne fais pas attention à nos serviteurs qui, derrière mon dos, adorent Râ, Shou, Osiris ou les déesses Téfnout et Nout… sans parler de la fameuse Hathor ! Nos ancêtres redoutaient les ténèbres et attendaient, pleins

105

d'espoir, la naissance du jour. Il leur était inconcevable qu'un seul et même Dieu règne sur la nuit et le jour, qu'un seul et même Dieu leur fasse don du jour puis, après le coucher du soleil, don des étoiles. C'est pourquoi ils inventèrent des dieux pour tout ce qu'ils craignaient et pour tout ce qui leur permettait d'apaiser leurs craintes. Je l'ai dit mille fois et je te le redis : il n'existe qu'un seul Dieu… Mais maintenant, tu ferais mieux de presser le pas. Si je ne peux pas offrir l'holocauste avant le coucher du soleil, nous devrons attendre le lever du jour, afin que Dieu voie la fumée du sacrifice !

Barrant toujours le chemin de son père, Isaac poursuivit :

– Oui, Père, je sais désormais qu'il n'existe qu'un seul Dieu, tout au moins pour nous. Je sais que c'est Lui qui t'a ordonné de te mettre en route pour la terre de Canaan.

Il disait rapidement tout ce qui lui passait par la tête.

– Et, de Canaan, Il nous a conduits en Égypte pour nous soustraire à la famine qui a fait périr la plupart des Cananéens. Je sais tout cela, mon père, car tu nous l'as souvent dit. Tu m'as dit aussi que, ma mère étant tombée en disgrâce auprès du pharaon, c'est avec l'aide de l'Éternel que tu as pu quitter sa maison et sauver ton or et ton bétail. Que c'est Dieu qui t'a ordonné de chasser Ismaël et sa mère, Hagar, afin de multiplier la descendance d'Ismaël et de faire de lui l'ancêtre fondateur d'un grand peuple.

Ici, Isaac s'interrompit, car il n'avait jamais su accepter entièrement l'explication d'Omaan. Pourquoi Dieu Tout-Puissant n'avait-il pas choisi un moyen moins cruel pour réaliser son dessein ? Mais, dans l'immédiat, seul lui importait de faire parler son père. Aussi, continua-t-il à l'entretenir du Seigneur céleste.

– Dis-moi, père, qu'est devenu l'ancien Dieu, celui qui a créé la Terre, les astres, les plantes et les bêtes ? Qu'est devenu le Dieu d'Adam et d'Ève, nos ancêtres ?

– Voyons, Isaac, c'est le même et unique Dieu qui nous a créés et qui pourvoie à nos besoins !

Brisé par la douleur, le vieux prophète scrutait le ciel. Il espérait toujours que le Seigneur, ému par son immense peine et par la terreur qu'éprouvait son fils, changerait d'avis et permettrait qu'Isaac fût remplacé par un bélier.

Isaac, qui ignorait ce qui se passait dans l'âme de son père, cherchait désespérément des questions auxquelles celui-ci ne put échapper.

– On m'a souvent raconté l'histoire de la Création. Père, tu m'as dit que le Seigneur avait chassé Adam et Ève de l'Éden. Mais pourquoi ? Est-ce parce que, comme l'affirment certains, Adam avait exploité à son profit les créatures de Dieu, le chameau, la chèvre, le mouton ? Ou parce que, comme le disent d'autres, ayant enfanté Caïn, Ève, notre mère à tous, croyait, à l'instar de notre Père céleste, posséder le don de la création? Ou parce qu'Adam et Ève voulaient savoir tout ce que savait Dieu ?

– Pour toutes ces raisons réunies. Dieu les a chassés du Paradis parce qu'ils lui avaient désobéi. Il faut faire tout ce que nous ordonne Dieu : je ne cesse de te le répéter.

– Oui, père, nous devons faire tout ce que la providence exige de nous, mais que dira le Créateur, si...

– Il s'agit d'un seul et même Dieu, combien de fois faut-il que je te le dise ? Il n'existe et il n'existera toujours qu'un seul Dieu !

En levant les yeux vers son fils, Abraham fut envahi par une poignante douleur. Il savait que, plus qu'une réponse à ses questions, l'enfant cherchait une échappatoire.

« Le Dieu d'Adam a interdit à l'homme de paraître devant Lui ! Ne devrions-nous pas nous cacher pour éviter sa colère ? s'écria Isaac, espérant avoir trouvé là l'argument salvateur.

« N'est-ce pas braver sa volonté que de gagner un sommet dénudé où il nous est impossible de nous dissimuler à sa vue ?

– C'est pour lui plaire et gagner sa grâce que nous devons lui offrir l'holocauste en ce lieu. Allons, en route !

– Mais si notre Providence est en même temps notre Créateur, qui nous a créés pour sa joie, au même titre que les bêtes, les arbres, les fleurs et les astres, comment peut-il se réjouir de nous voir brûler ses créatures ? insista Isaac, de plus en plus terrorisé.

– Cela ne nous concerne pas. Nous n'avons ni à juger ni à questionner, mais seulement à obéir, car les voies du Seigneur sont insondables. »

Abraham poussa son fils vers le sommet.

« Oui, il faut obéir », se répéta-t-il pour faire taire ses doutes. Les paroles du Seigneur résonnaient à ses oreilles : « Prends ton fils, ton unique, Isaac, que tu aimes. Pars pour le pays de Moriyya et là, tu l'offriras en holocauste sur celle des montagnes que je t'indiquerai. »

Même s'il n'osait pas questionner le Seigneur, Abraham comprenait le sens de ses paroles.

« Pour notre vieillesse, et comme il l'avait promis quand nous étions encore jeunes, Dieu a donné un fils à Sara. À présent, il le reprend », se dit-il, chassant de son esprit l'idée de demander des comptes à son Seigneur.

C'est le cœur brisé qu'il regardait Isaac grimper vers l'autel du sacrifice. La noble figure d'Ismaël surgit dans son imagination et il ressentit, une fois de plus, la peine qu'il avait éprouvée en le perdant en même temps que Hagar. Sa détresse en devint insupportable.

La dernière fois qu'il avait vu Ismaël, celui-ci avait le même âge qu'Isaac aujourd'hui marchant vers le sommet de la montagne. Et comme Isaac maintenant, le jeune Ismaël avait souvent accompagné Abraham, portant sur son dos le bois pour le bûcher de l'holocauste. Mais, à l'époque, le cœur d'Abraham était plus léger, car le bêlement insouciant de l'agneau qu'il portait sur ses épaules ne meurtrissait pas son cœur.

Depuis quelque temps, Ismaël lui apparaissait sous les traits d'un chef d'une nouvelle tribu. Bien qu'il n'eût jamais revu son fils, il se plaisait à l'imaginer ainsi, en s'aidant des récits de ceux qui l'avaient rencontré et qui le décrivaient aussi beau et imposant que Hagar, sa mère, était belle et douce. Sans jamais se l'avouer, en pensant à Ismaël adulte, Abraham voyait Hagar revêtue de l'armure du guerrier. Il ne s'avouait pas davantage qu'il aimait Hagar comme autrefois, et peut-être même plus, désireux comme jamais d'être aimé et compris et pas seulement, comme à l'époque où, sur l'ordre de Sara, il avait dû la chasser, de partager ses instants de volupté.

« Les messagers du désert de Beer Shéva affirment que Hagar m'est restée fidèle. Pendant les longues années de son exil, aucun homme ne l'a connue. On dit aussi qu'elle parle toujours avec amour et respect de moi et de mon fils, Isaac. Cela me fait souffrir plus que si elle me haïssait. Peut-être a-t-elle inculqué ce même amour et ce même respect à son fils Ismaël. M'aimer, moi qui l'ai chassée, cédant à ma cruelle épouse et sœur. Ai-je obéi à Sara parce que je suis incapable de l'aimer ? Ai-je obéi au Seigneur parce que, le craignant, je n'ai pas pu l'aimer non plus ? Je les crains, parce que je sais que je ne mérite pas leur amour. Ai-je mérité l'amour de Hagar et de son fils pour n'avoir jamais cessé de les aimer ? Mais, en apprenant l'injustice dont je me suis rendu coupable envers leurs ancêtres, les descendants d'Ismaël, qui n'auront pas grandi dans l'état d'esprit de Hagar, ne s'en prendront-ils pas, pleins de haine dans leur cœur, à ma propre descendance ? Et si je laisse en vie mon fils cadet, ne risque-t-il pas de tomber à son tour sous la férule de ma femme ? À la cour du pharaon, elle a si bien appris l'art de la cabale, elle lui fera parachever l'œuvre commencée avec moi. Si je n'écoute pas la Voix qui exige la vie de mon second enfant, comment éviterai-je la vengeance des victimes de mon injustice ? »

Incapable de répondre à ces questions que, d'ailleurs, il n'avait jamais osé se poser auparavant, Abraham préféra détourner le cours de ses pensées.

« Hagar était la servante de Sara ; Sara me l'a donnée pour coépouse. C'est sur les genoux de Sara que Hagar a accouché du fils que j'avais planté dans sa matrice. Ce fils, Sara l'aimait comme son propre enfant. Et pourtant, elle m'a demandé de les chasser tous les deux. Était-elle jalouse de l'amour que je leur portais ? Ou était-ce parce que Hagar, née à l'étranger, n'a jamais été vraiment des nôtres ? "Hagar n'adorera jamais ton Dieu, Abraham, parce que c'est toi qu'elle adore", m'a dit Sara un jour. Aurait-elle senti que je ne l'ai jamais aimée comme j'ai aimé Hagar ? Mais d'où me viennent toutes ces questions ? D'habitude, ce sont plutôt les femmes qui se les posent ! Et pourquoi les soulever juste en ce moment ? »

Une fois de plus, le patriarche jugea préférable de dévier le cours de ses pensées en évoquant derechef l'image de son fils aîné.

« Loin de moi, sur une terre étrangère, le plant chétif qu'est le peuple d'Ismaël deviendra un arbre puissant qui donnera naissance à une vaste forêt. Quant à moi, obéissant à la volonté de Dieu, j'ai promis à Sara de ne jamais rappeler Ismaël. Et voilà qu'à présent, Dieu exige mon second enfant, le seul qui me reste et en qui j'espérais trouver la consolation de mes vieux jours.

Malgré l'immensité de sa peine, Abraham avait le sentiment qu'il lui fallait montrer qu'il était prêt à tout sacrifier pour son Dieu. Cette idée atténua quelque peu sa souffrance. Se leurrait-il une fois de plus ? « Serait-il possible que Dieu soit jaloux d'Isaac parce que je l'aime et parce qu'il est la source de ma joie ? »

Tout en écoutant sa voix intérieure, Abraham n'osa pas répondre à ces questions.

***

En apercevant sur le sommet, parmi les rochers, le tas de pierres destiné à accueillir le bûcher, Isaac s'arrêta net, les pieds rivés au sol. L'endroit lui était familier : depuis des siècles, des générations entières y sacrifiaient à leurs dieux.

Aucun serviteur ne les attendait avec l'agneau. Terrifié, écrasé par la peur de la mort, Isaac osa à peine risquer un regard vers l'ouest, sur la vallée où paissaient les moutons et les chèvres de son père. Trois bergers se tenaient autour d'un feu ; aucun d'eux n'avait pris le chemin de la montagne. Isaac perdit le peu d'espoir qui lui était resté.

Il se tourna vers son père. Leurs regards se croisèrent. Plutôt que de supporter celui, meurtrier, d'Abraham, Isaac, le cœur brisé par la douleur, eût préféré mourir foudroyé.

« Il faut que je le supplie de me laisser en vie », pensa-t-il, mais, aussitôt après, le souvenir d'Ismaël surgit en son esprit : il comprit qu'il ne pouvait en aucun cas compter sur la pitié de son père.

« Sans doute, a-t-il entendu la voix de son Dieu », se dit-il pour apaiser son désespoir de se voir trahi par Abraham. Isaac s'efforça de se résigner à la volonté de Dieu. Écrasé par le fagot qu'il portait sur ses épaules, il eut l'impression d'acheminer vers l'autel tous les agneaux qui y avaient été et qui y seraient massacrés par les serviteurs fanatiques de ces dieux célestes et terrestres assoiffés de pouvoir et d'adoration.

« Il faut exécuter les ordres de Dieu ! » dit Abraham, accablé. Pour éviter le regard de son fils, il leva ses yeux et son bâton vers le ciel. Puis, baissant la tête, il reprit le chemin.

Isaac le laissa passer et lui emboîta le pas. Il s'efforça de marcher droit, mais ses jambes vacillèrent.

« Il faut exécuter les ordres de Dieu, répéta-t-il, mais pourquoi mon père est-il le seul à entendre Sa voix ? Pourquoi celle-ci ne me parvient-elle pas, alors que c'est de ma vie qu'il s'agit ? »

Il n'osa pas poser cette question à son père, sachant que celui-ci, en cette aube inoubliable où il avait maudit la terre absorbant la seule larme qu'il eût jamais versée, avait été le seul à entendre la Voix.

Chapitre II

Poser branche par branche le bois sur l'autel fut pour Isaac un véritable cauchemar. Non qu'il eût voulu retarder l'inévitable : le temps s'était arrêté pour lui. Tout en sachant qu'il devait mourir bientôt dans des conditions atroces, il semblait contempler de loin ce garçon qui construisait avec la lenteur d'un escargot le bûcher dont la flamme allait le consumer. Mais il sentait déjà l'étreinte du feu avec la même précision qu'il percevait sur ses bras la piqûre des épines hérissant les branches.

Il vit son père lever les bras et les yeux vers le ciel et montrer à Dieu, en quête d'approbation, le couteau et le bûcher. Il voyait défiler les divers épisodes de sa vie, cette vie qu'il s'apprêtait à quitter. Certains lui inspiraient de la tristesse, d'autres lui procuraient un certain soulagement. Il éprouvait le besoin impérieux, avant que le temps ne reprenne sa marche, de comprendre tout ce qui jusque-là lui était demeuré obscur.

Il eut le vague sentiment d'entrevoir, dans le passé, quelques minuscules étincelles d'espoir, comme si, tapi au fond de sa mémoire, un être rédempteur pouvait mettre fin à son cauchemar. Isaac ressentait la présence de cet être mais resta incapable d'en évoquer les traits. Ses vains efforts exacerbèrent sa douleur. « Est-ce toi, Ismaël ? » demanda-t-il, pendant que son esprit scrutait fébrilement le passé. Mais il manquait d'éléments et dut bientôt ralentir ce processus de remémoration.

***

Ni Abraham ni Sara ne lui avaient jamais expliqué pourquoi Ismaël avait dû partir, pas plus qu'ils ne lui avaient parlé de la vie de celui-ci, dans le désert de Beer Shéva, aux côtés de sa mère bien-aimée. Cependant, déjouant la vigilance de Sara, certains membres de la famille de Hagar s'étaient rendus auprès des exilés et, à leur retour, lui avaient fait des comptes rendus enthousiastes sur le peuple d'Ismaël et sur son essor.

D'autres étaient allés à Beer Shéva sur l'ordre exprès de Sara, afin d'espionner Hagar. Sara savait ne plus pouvoir compter sur la bienveillance de celle-ci.

« Ta mère craint qu'un jour les hommes d'Ismaël ne cherchent à nous attaquer par surprise, expliqua un jour la vieille Hafri à Isaac, pour se venger de l'affront qu'a subi leur chef, et pour s'emparer de sa part d'héritage. »

Certains témoignages évoquaient l'enfance des deux frères.

« Te souviens-tu, Isaac, des jours où, monté sur les épaules d'Ismaël, tu riais de si bon cœur ? » demanda un jour Chokhran qui se considérait à la fois comme la mémoire et le conteur de son peuple.

Isaac fit « oui » de la tête et sourit comme chaque fois qu'il se remémorait les temps heureux où Ismaël vivait encore avec eux.

Plus tard, Chokhran au pied bot crut bon (dans l'espoir de recevoir une aumône) de faire part à Isaac de ses réflexions sur l'hostilité de Sara envers Hagar et Ismaël. Il avait mis plusieurs années à réunir les éléments de son enquête. En effet, son infirmité l'empêchant de travailler, il gagnait sa vie en écoutant et, surtout, en colportant les ragots. Il lui dit : « En voyant ta joie de jouer avec Ismaël, le fils de Hagar et le plaisir qu'éprouvait son mari à vous voir vivre en si bonne entente, ta mère s'est dit : "Abraham, qui partage son amour entre ses deux fils, ne s'avisera-t-il pas un jour de partager ses biens entre eux ?

116

Or, il serait juste que le don du pharaon, le noyau de notre fortune, revienne uniquement au fils que Dieu m'a donné et pour lequel j'ai tant souffert." Telle était sa pensée. Comme tu le sais, elle ne manque pas une occasion de rappeler ce qu'elle a souffert et souffre encore à cause de toi, non pas, comme les autres femmes, en t'ayant enfanté, mais parce que son ventre ne cesse de gonfler depuis que les trois charlatans lui ont fait boire leur infâme mixture. Tu connais la fin : Sara a demandé à Abraham de chasser Hagar et Ismaël. »

Isaac se souvenait fort bien des paroles de Chokhran et de tous ceux qui, sous mille formes différentes, lui avaient rapporté l'histoire de l'expulsion de Hagar et Ismaël. Personne, en dehors de Sara et de Loth, n'en connaissait les véritables raisons, mais chacun croyait détenir la vérité. Depuis quelque temps, Isaac avait renoncé à résoudre cette énigme et ne prêtait plus aucune attention à ces racontars. Mais à présent qu'il était en proie à la terreur, il lui était crucial de comprendre le passé.

« Si je savais pourquoi mon père a chassé mon frère, je pourrais peut-être trouver les paroles capables de sauver ma vie », se dit, éperdu de douleur, le supplicié.

Isaac savait qu'Abraham, désireux d'avoir des nouvelles de son fils aîné, avait parfois dépêché ses émissaires dans le désert de Beer Shéva. Ceux-ci, surtout au début, apportaient à Hagar, à l'insu de Sara, des victuailles et des cadeaux, quelquefois somptueux. Isaac croyait avoir deviné pourquoi à chaque dîner son père mettait de côté un peu de nourriture qu'il jetait ensuite dans le feu, quand il pensait n'être vu de personne : sans doute, dans son esprit, cette nourriture revenait-elle à Ismaël qu'il n'avait cessé d'admirer. On lui avait dit que son fils, devenu un homme de stature imposante, était le chef adulé de son peuple, un maître du tir à l'arc, et qu'il était toujours prêt à défendre ceux qui avaient besoin de sa protection.

Agneau tremblant de peur au pied de l'autel, Isaac sentit resurgir en lui l'amertume qu'il avait éprouvée le jour où, ramené par Omaan auprès de ses parents, il leur avait fait part de son intention de retrouver Ismaël. Ce jour-là, au lieu de dire : « Puisque cet enfant veut voir son demi-frère, nous devons le lui permettre », Abraham, pour ne pas provoquer la colère de sa femme, baissa les yeux et demeura muet. Alors, Isaac fondit en larmes : « Si vous ne me laissez pas le retrouver tout seul, emmène-moi, père, auprès de lui ! » supplia-t-il, sachant que son père souhaitait également revoir Ismaël.

Devant l'autel du sacrifice, Isaac aurait voulu s'écrier : « Laisse-moi aller mon chemin, père ! » Mais, tremblant de tous ses membres, il attendait son sort sans rien dire. En vain aurait-il versé des larmes ; messager de la Providence, prophète désireux d'oublier le passé, mais craignant l'avenir, Abraham, titubant, les bras écartés, guettait, tel un possédé, un signe du ciel.

***

Accroupi derrière les buissons, Omaan observait Isaac et Abraham. Tandis que le premier chargeait le bûcher avec une infinie lenteur, le second chancelait comme sous les coups d'une tempête dont il aurait été le seul à éprouver la violence. Omaan scrutait le passé pour reconstituer le chemin qui avait conduit le père et le fils à cet instant douloureux. La tâche qu'il s'était vu confier rappelait celle qu'il avait eue à accomplir plusieurs années auparavant, alors que Sara l'avait envoyé chercher Isaac dans le désert. Omaan avait alors sauvé l'enfant d'une mort certaine en le ramenant auprès de sa mère, sans autre blessure que celle, ouverte peut-être à jamais, dans son âme.

Cette fois, Sara avait ordonné à son serviteur et confident de suivre Isaac à la trace, sans jamais le perdre de vue. Sachant que Sara « n'en faisait qu'à sa tête », Omaan s'abstint de lui demander des explications.

Toutefois, à la vue de l'autel du sacrifice, il regretta de n'avoir pas cherché à éclaircir ce mystère plus tôt. Comme

Isaac, il avait le vague sentiment que c'était dans le passé qu'il fallait chercher la solution qui permettrait d'éviter ce qui semblait inévitable. Pour lui, le temps ne s'était pas arrêté, mais il savait que le moment n'était pas encore venu. Il observait Abraham qui, les bras écartés et les yeux fixés sur la braise du soleil couchant, tournoyait sur lui-même, comme mû par une pulsation secrète l'entraînant dans une folle et frénétique ivresse vers son Dieu.

***

Dans un éclair, Omaan le sage, revit Sara telle qu'il l'avait connue à la cour du pharaon. Sans dépasser en beauté les autres concubines du souverain, à sa façon, du fait de l'énergie et de l'absence de soumission qu'exprimaient son regard sombre et ses yeux brillants, elle semblait plus désirable.

« Sara allait répétant qu'elle était la sœur cadette d'Abraham et celui-ci, en bon frère, s'était mis en toutes choses à la disposition du pharaon. Le grand seigneur les combla alors de dons et mit des serviteurs à leur disposition ». C'est ainsi qu'Omaan se remémora l'époque où il était devenu lui-même serviteur de Sara. Intendant de la favorite du pharaon, il n'avait pas eu à se plaindre de son sort. Il avait servi fidèlement Sara et apprécié Abraham.

Au début, il était simplement curieux de mieux connaître cet homme étrange qui croyait en un Dieu invisible, un Dieu qui n'était jamais apparu sous la forme d'un animal, d'un arbre ou d'une montagne, qui n'habitait ni les grottes d'Haran ni les profondeurs abyssales du Nil.

Omaan ne tarda pas à apprendre qu'Abraham était à la fois le demi-frère et l'époux de Sara.

« Cet homme m'a toujours déconcerté, se dit Omaan. J'ai respecté son secret. Un jour, pourtant, je lui ai demandé pourquoi il avait cédé Sara au souverain. » « Tu connais, mon ami, le sort qui attendaient ceux qui, ayant fui la famine pendant les années de sécheresse, s'étaient réfugiés dans les plaines égyptiennes arrosées par le Nil, répondit Abraham. Tu vois toi-même que Sara est une femme au visage avenant et au corps désirable. Si on avait appris qu'elle était ma femme, on m'aurait tué pour me la prendre. Au lieu de cela, elle est devenue la concubine du pharaon qui m'a comblé de richesses. Omaan, mon ami, mets un frein à ta langue et je saurai me montrer reconnaissant. Déjà, Sara t'a élevé à une dignité à laquelle tu n'aurais jamais pu accéder si tu étais resté au service du pharaon. »

Omaan, qui, au palais du pharaon, avait la réputation d'un homme cultivé et influent, se prit d'affection pour Abraham. Il vit que ce berger d'humeur vagabonde tenait plus à son Dieu qu'à sa terre et que sa foi était bien plus profonde que celle des Égyptiens ; ceux-ci, en honorant par leurs prières et sacrifices une multitude de dieux, en blessaient inévitablement quelques-uns. Il importa bientôt plus à Omaan de contenter Sara que de gagner les faveurs de n'importe quel dieu.

Aussi était-ce en récapitulant tout ce qu'il savait d'Abraham et de Sara qu'Omaan essayait de comprendre ce qui se passait sous ses yeux et ce qu'il aurait à faire.

Chargé par Sara de sonder les intentions d'Abraham, il se remémora tout ce que son maître avait pu lui dire, mais rien dans les paroles du prophète ne semblait annoncer ni justifier l'acte qu'à son corps défendant celui-ci allait accomplir.

« Lorsqu'il a chassé les êtres qu'il aimait, il leur a donné de l'eau et du pain pour le voyage, dans l'espoir, sans doute, de ne pas les vouer à une mort certaine. Comment, aujourd'hui, serait-il capable de tuer Isaac de ses propres mains ? » Omaan cherchait à se rassurer : non, il n'avait pas à craindre pour la vie d'Isaac. « Peut-être a-t-il conduit son fils à cet endroit pour lui donner une leçon… »

« Oui, mais Abraham est imprévisible… », poursuivit-il. Pour la première fois de sa vie, penser faisait amèrement souffrir Omaan. « À chaque nouvelle saison, il cherche une nouvelle manière de plaire à son Dieu… Que prépare-t-il en ce moment ? »

En lisant, sur le visage d'Isaac, la terreur et la consternation devant les traits défigurés et les yeux révulsés d'Abraham, Omaan, oubliant la plus élémentaire prudence, faillit s'écrier : « Non, cela ne se peut ! »

Mais il étouffa son cri. Cependant, une foule de pensées l'assaillit aussitôt. « Non, il ne peut pas faire cela, se répéta-t-il. Il ne peut pas tuer son propre fils ! Même pour satisfaire son Dieu. Mais, au fond, pourquoi pas ? Personne, sauf son Dieu, ne peut prescrire à Abraham ce qu'il doit faire ou ce qu'il ne doit pas faire et son Dieu lui souffle toujours ce qu'il veut entendre. Abraham se soumet-il vraiment à la volonté de Dieu ou, au contraire, est-ce la volonté d'Abraham qui s'exprime par la voix de son Dieu ? »

« Que dois-je faire, mais que dois-je faire ? » Au bord du désespoir, Omaan s'approcha, en rampant, de l'autel et alla se cacher derrière un rocher, à quelques pas de distance d'Abraham. « Comment m'interposer entre mon maître et son Dieu vengeur ? Sara m'a ordonné de ne pas perdre Isaac de vue, mais quel sera mon sort si, à mon retour, je lui apprends que j'ai assisté au meurtre du fils par son père ? Que vaut-il mieux ? Subir la vengeance de Sara ou la colère d'Abraham et de son implacable Dieu ? » Mais ce n'était pas pour sa tête qu'il craignait le plus : Isaac, qui venait de poser la dernière branche sur le bûcher, recula d'un pas incertain en voyant son père saisir le flambeau, la corde et le couteau.

– Père, ne suis-je donc pas ton fils ? s'écria le malheureux enfant. Même s'il t'arrivait quelquefois d'en douter, tu as toujours été mon père aimant. Alors, pourquoi ? Pourquoi ? poursuivit-il d'une voix étranglée par la douleur.

– Tu es le fils de la mort, Isaac ! Pousse ton dernier cri ! ordonna Abraham.

L'Égyptien eut le souffle coupé.

– Je sais, père, que tu dois exécuter l'ordre de ton Dieu, dit Isaac d'une voix éteinte qu'Omaan entendit à peine.

– Pour avoir l'attention attirée par le sacrifice que je lui offre, il faut que Dieu entende ton dernier cri, comme il entend le dernier bêlement d'un agneau. Crie donc ! s'écria Abraham, à la fois furieux et terrorisé. Crie ! répéta-t-il en empoignant les épaules de son fils et en le secouant violemment. Crie pour que Dieu voie la douleur qui déchire mon cœur !

– Transporte-moi sur l'autel, mon père, car je suis incapable de bouger. Fais ce que le Seigneur…

Épuisé, Isaac ne put terminer sa phrase.

– Ne t'évanouis pas ! Dieu ne veut pas d'un agneau inanimé ! Crie !

Impuissant, en proie à une angoisse sans bornes, Abraham semblait supplier son fils.

Après un instant de silence, il se jeta sur son fils, lui arracha sa tunique, passa une corde autour de son corps, puis lui ligota les membres avant de le soulever au-dessus du bûcher.

– Crie donc ! gémit-il.

Isaac était désormais étendu sur les branches dont les épines s'enfonçaient dans sa chair.

– Seigneur, qui êtes aux cieux, regardez-nous ! Que votre volonté soit faite ! s'écria Abraham en levant le couteau sur son fils.

QUATRIÈME PARTIE

La renaissance d'Isaac

Chapitre I

Alors l'ange du Seigneur l'appela du ciel et cria : « Abraham ! Abraham ! » Il répondit : « Me voici ». Il reprit : « N'étends pas la main sur le jeune homme. Ne lui fais rien, car maintenant je sais que tu crains Dieu, toi qui n'as pas épargné ton fils unique pour moi. »

Genèse 22, 11-12

« Vous, les dieux qui habitez sur la terre, dans les profondeurs des mers et parmi les étoiles, protégez-moi du fanatisme de ce dément ! »

Après avoir adressé cette prière, Omaan jaillit de derrière le rocher et s'écria :

– Abraham ! Abraham !

Bien qu'il redoutât la colère du Dieu Tout-Puissant de son maître, il saisit la main d'Abraham. Le couteau tomba sur le rocher.

– Que veux-tu de moi, Seigneur ? Dois-je combattre ton ange qui vient d'arrêter ma main ?

– Ne fais pas de mal à l'enfant ! cria Omaan.

– Comme tu voudras, Seigneur ! répondit Abraham.

Il éleva son regard vers un nuage qu'éclairaient les rayons du soleil mourant et crut apercevoir l'ange ailé de son Dieu unique. Dès que le nuage se fut dissipé dans l'océan du ciel, le prophète se prosterna sur le sol, enfouissant son visage dans la cendre noire accumulée autour de l'autel, réceptacle des ossements d'innombrables victimes, animales et humaines, de dieux inconnus. Cherchant à se soustraire à la colère de son Dieu, Abraham répandait sur sa tête cette cendre qui empestait encore l'odeur écœurante de la chair brûlée.

***

Omaan dénoua les liens d'Isaac et le descendit de l'autel. Le jeune garçon sembla d'abord pouvoir tenir sur ses jambes, mais ses genoux fléchirent peu après. Si Omaan ne l'avait pas retenu, il serait tombé sur les rochers en contrebas.

Abraham leva la tête. Sous la cendre grise, ses yeux semblaient jeter des éclairs rougeoyants.

— Est-ce ta voix que je viens d'entendre, Omaan ? demanda-t-il après un long silence.

— Les paroles que tu as entendues venaient bien de la bouche de ton serviteur, mais la Voix était celle de ton Dieu unique. C'est Lui qui t'a parlé par mon truchement : je n'étais que son instrument. Ton Dieu ne veut pas que tu supprimes l'enfant que tu as élevé et qui a appris de toi à L'adorer. Cet enfant doit vivre pour être l'ancêtre d'une grande nation qui peuplera la terre pour la plus grande gloire de Dieu, comme tu l'as si souvent répété. Si ton Dieu, ta Providence, n'avait pas rempli ma bouche de ses paroles, Il m'aurait frappé à mort, dit Omaan, tout étonné d'avoir osé parler ainsi à son maître et devant son Dieu céleste.

— Dieu peut nous anéantir tous, si nous n'accomplissons pas l'holocauste.

— Attends-moi, mon maître, dit l'Égyptien. Je descends dans la vallée et je te ramènerai le plus beau des béliers. Isaac, tu viens avec moi ! Laisse ton père prier en paix en attendant notre retour avec un bélier digne du Seigneur céleste, ajouta-t-il, ayant compris qu'Isaac avait besoin d'une explication.

Puis, entourant de son bras les épaules du garçon encore tout étourdi, il le dirigea vers le sentier tortueux qui descendait vers l'ouest.

— Cher Omaan, si bon, si courageux, tu m'as redonné la vie que, sans même me frapper, le couteau de mon père m'avait ôtée. Mais si le Dieu unique de mon père veut ma mort, pourrais-je me soustraire à sa vue ? Pour épargner à mon père la colère de son Dieu cruel, ne devrais-je pas me sacrifier moi-même ? Mon prophète de père doit accomplir la volonté de son Dieu céleste. À moins que je ne le fasse à sa place.

– Ton père est incapable de faire la distinction entre sa voix et celle de son Dieu.

– Entre sa voix et celle de son Dieu ? répéta Isaac, incrédule.

– Viens, Isaac, nous devons être de retour avant l'aube. Je sais que, toi aussi, tu crois en ce Dieu. Il se peut que, moi aussi, j'admette qu'il existe, sous quelle que forme que ce soit. Sans doute a-t-Il comblé ton père de biens, mais Abraham a déjà tant sacrifié pour lui… Pas la peine d'en ajouter en te sacrifiant à ton tour, dit Omaan en poussant doucement vers le sentier le garçon encore hébété. Puis, Isaac s'étant immobilisé, il continua en ces termes :

– Le Dieu d'Abraham est très puissant. Il est plus fort que n'importe lequel de nos dieux, mais Il exige aussi plus que notre peuple ne pourrait Lui donner. Ton père lui a tout sacrifié : son cœur et sa virilité, car après leur expulsion d'Égypte, il n'a pu s'approcher de Sara en tant qu'époux. Il n'a retrouvé sa virilité que bien des années plus tard, grâce à l'amour de Hagar et à Ismaël, le fils qu'elle lui a donné. Mais toi, Isaac, tu es encore trop jeune pour comprendre tout cela. Viens donc avec moi. Chemin faisant, je t'expliquerai ce que tu es d'ores et déjà capable de saisir. Si nous arrivons avant que les bergers aient fini leur repas du soir, ils ne manqueront pas de le partager avec nous.

Chapitre II

Abraham leva les yeux, il regarda, et voici qu'un bélier était pris par les cornes dans un fourré. Il alla le prendre pour l'offrir en holocauste à la place de son fils.

Genèse 22, 13

– Je demande humblement au grand Osiris et à la déesse de la nuit de t'accorder leurs faveurs et de veiller sur ton sommeil, Chabou ! dit Omaan au berger, qui s'était levé pour les saluer.

– Quant à moi, je leur demande de vous gratifier de rêves paisibles, toi et ton jeune maître Isaac.

– Écoute bien, Chabou : choisis dans ton troupeau le bélier le plus beau, le plus fort et le plus propre, dit Omaan en appuyant sur chacun des trois qualificatifs. Je l'amène-rai à mon maître Abraham.

– Avez-vous entendu ce que nous a dit notre intendant et notre ami, le sage Omaan ? demanda Chabou en se tournant vers ses deux compagnons.

Ceux-ci se levèrent, s'inclinèrent profondément devant Isaac et l'Égyptien et allèrent choisir parmi les bêtes de leur troupeau un bélier digne d'être sacrifié pour Dieu.

– Venez, Isaac et Omaan, vous avez sans doute faim après avoir tant marché. Mangez et buvez, si vous ne dédaignez pas notre modeste repas.

Chabou attendit que ses deux invités s'accroupissent sur leurs talons, avant d'aller s'asseoir à leurs côtés.

– Envoie donc un émissaire auprès de notre maîtresse Sara, dit l'Égyptien. Qu'il lui dise que son fils Isaac passe la nuit avec son père et moi. Qu'il n'oublie pas de préciser qu'Isaac va bien, qu'aucun danger ne le menace et que je reste avec lui tant qu'Abraham n'aura pas sacrifié le bélier.

– Ce sera fait, ô sage Omaan, mais sache qu'au moment même où le soleil nouveau surgissait des entrailles profondes de la terre pour entamer sa course céleste, on a aperçu cinq hommes envoyés par Sara sur la route menant d'Elhaïm à Romhaïm. Notre maîtresse a entendu dire qu'après-demain Ismaël doit emprunter cette route, accompagné de deux hommes seulement... Les hommes de Sara se sont montrés taciturnes, sans doute leur mission ne peut-elle être révélée...

– Mon père a voulu me tuer et voilà que ma mère en veut à la vie d'Ismaël ! s'écria Isaac, horrifié. Le monde serait-il devenu fou ?

– Voilà des paroles d'homme mûr, murmura le sage Égyptien tout en contemplant le feu. Il savait bien que l'enfance d'Isaac avait pris fin au moment où, ligoté par son père, il avait failli être brûlé vif sur l'autel sacrificiel.

Sachant qu'il devait dissiper l'angoisse du jeune garçon, Omaan poussa un profond soupir.

– Ton père et ta mère adorent le même Dieu, mais n'entendent pas la même voix... J'essaie de te faire comprendre l'incompréhensible, mais avant toute chose, il faut que j'en sache un peu plus...

Et, se tournant vers le berger, il lui demanda :

– Et s'il en est ainsi, Chabou, et si tes mauvais pressentiments se révèlent justes, dis-moi : n'as-tu rien entendu qui puisse expliquer pourquoi Sara veut faire assassiner Ismaël ? Et pourquoi précisément en ce moment ? Voilà des années qu'elle espionne Hagar et son fils sans avoir découvert la moindre trace d'hostilité. Alors pourquoi ? Qu'est-ce qui a pu empoisonner le souvenir d'une ancienne affection, altérer ce qui restait de la douceur d'une ancienne alliance familiale ?

Puis, se tournant derechef vers Isaac :

– Tu sais, poursuivit-il, les démons de l'envie et de la jalousie, de la méfiance et du désir de vengeance se logent dans le foie et dans la vésicule biliaire de chacun de nous. Fruit de la peur, la bile verte de la haine empoisonne notre existence. Je t'en prie, Chabou, s'adressa-t-il au berger, dis-nous tout ce que le fils d'Abraham a le droit de savoir.

« On s'y perd facilement dans les affaires des hommes, mais si les dieux s'en mêlent, ce n'est même pas la peine d'essayer de comprendre », dit Chabou en citant un vieil adage. Après un long moment de réflexion, il dit à Omaan :

– Je te dirai ce que j'ai appris, même si je n'y comprends pas grand-chose. Un jour, s'affairant autour de sa tente, les serviteurs auraient entendu notre maître Abraham dire : « J'ai entendu la Voix de mon Seigneur. Il m'a dit : "Abraham, tu n'as qu'un seul Dieu et tu n'as qu'un seul fils". » Après quoi, Abraham se serait retiré dans le désert pour comprendre le sens de ces paroles. À son retour, sans rien dire à son épouse, il a pris son fils et deux serviteurs et a quitté la maison pour aller on ne sait où. Le surlendemain, il a renvoyé un des serviteurs pour qu'il dise à Sara qu'il avait pris la route sur l'ordre de son Dieu unique. Nous avons appris que notre maîtresse t'avait chargé de surveiller son fils. Le lendemain, Sara a annoncé au peuple que Dieu lui avait parlé, à elle aussi. Il lui aurait dit qu'Abraham n'avait qu'un fils dont le nom est Isaac, et que celui-ci hériterait de tous les dons de Dieu. Ce même Dieu aurait désigné Isaac pour succéder à Abraham dans son rôle d'émissaire divin auprès des hommes. Après avoir ainsi révélé les paroles de Dieu, Sara a envoyé cinq hommes à la rencontre d'Ismaël. Si Abraham n'a qu'un seul fils et que ce fils est notre jeune maître Isaac, les intentions de Sara sont claires, me semble-t-il.

« Leur Dieu est mon Dieu et mon Dieu est le Dieu d'Ismaël », dit Isaac d'une voix ferme qui n'était plus celle d'un enfant. Les deux bergers qui venaient d'arriver avec un superbe bélier lui jetèrent un regard étonné. Le cœur envahi d'une force miraculeuse, Isaac s'écria :

– Nous devons protéger la vie d'Ismaël, afin que son peuple et le mien s'unissent au moment voulu par Dieu.

En entendant ces paroles dans la bouche d'un homme désigné pour être le chef de son peuple, les bergers levèrent les bras au ciel et s'inclinèrent jusqu'à terre. Seul Omaan l'Égyptien eut le courage de lever la tête et de dire :

– Isaac est un vrai prophète. Ses paroles viennent du cœur. L'enfant qu'il était a cessé de vivre à la vue du couteau de son père pour renaître en tant qu'homme et prophète de la paix et de la fraternité. Et nous, qui avons entendu ses paroles dans ce monde sourd à la raison et à la compréhension, nous sommes bénis. Il faut que nous le suivions en toutes choses, dit Omaan sur le ton d'un grand prêtre, empreint de dignité.

Puis, il se tut pour laisser aux trois bergers le temps de s'imprégner de ses paroles.

Ensuite, sur un ton ferme qui n'était pas celui d'un grand prêtre mais celui de l'intendant de Sara, donnant des instructions au nom de son fils, il dit :

– Brave Chabou, rends-toi immédiatement à Elhaïm et avertis Ismaël que sa vie est en danger. En partant tout de suite dans la direction du coucher du soleil, tu le trouveras dans la maison d'El Maïkem l'Égyptien, frère de la belle Hagar.

Omaan expliqua le chemin et pour s'assurer que Chabou avait bien compris ses paroles, il les lui fit répéter. Ensuite, il se tourna vers les deux bergers, occupés à faire reluire les cornes du bélier, et les félicita de leur choix.

– Bien que notre maître Abraham n'ait pas le droit de rompre son jeûne ne fût-ce qu'en buvant une gorgée d'eau, il lui faudra se purifier avant d'offrir l'holocauste. Prenez donc une outre remplie de l'eau de la fontaine et apportez-la lui.

Pendant que Chabou attachait une corde aux cornes du bélier, l'un des bergers lui remit l'outre.

– Voici la bête du sacrifice, Isaac, dit-il en lui confiant la corde. Conduis-la au pied de la montagne, ligote-la ensuite et prends-la sur le dos pour lui éviter de s'affaiblir et de se blesser les pattes sur les chemins pierreux. Que sa voix forte monte jusqu'au ciel afin que le Dieu unique de ton père agrée son sacrifice !

***

Flanqué d'Omaan, Isaac conduisait lentement le bélier sur le chemin éclairé par la lune. Lorsqu'ils furent assez loin du feu de camp des bergers, Isaac, sans se tourner vers l'Égyptien, lui demanda :

– Pourquoi m'as-tu dit que mon père, au moment où il croyait entendre une Voix céleste lui ordonnant de me sacrifier, ne percevait que sa propre voix ? Ne suis-je pas son fils ? Tu ne crois tout de même pas que c'est de son propre chef… Ajouterais-tu foi à certaines rumeurs ?…

– Non, Isaac, ce n'est pas le cas. Les gens aiment les commérages et la famille de Hagar a toujours feint de croire qu'Abraham était incapable d'accomplir son devoir conjugal avec Sara. Ceux qui sont arrivés d'Égypte avec moi se souviennent de ce qui s'est passé là-bas. Ils savent beaucoup de choses, mais tu es encore trop jeune… Tes parents t'ont sans doute parlé de ces trois étrangers, porteurs d'un message de Dieu affirmant que Sara accoucherait d'un fils. En effet, moins d'un an plus tard, tu es venu au monde. Bien entendu, il se trouve de bonnes âmes pour prétendre que tu serais issu de la semence qu'Abraham aurait plantée dans le ventre d'une des filles de Loth, mais ce n'est là qu'un vulgaire racontar. D'autres croient savoir que les trois hommes ont fait boire à Sara un élixir lui permettant de concevoir. D'autres encore s'en vont répétant : « Ce n'est pas Sara qui avait besoin de l'élixir mais Abraham, pour retrouver sa semence et la planter dans sa vieille épouse. » Et n'as-tu pas entendu dire que ce serait même le plus jeune des trois messagers qui t'aurait engendré. Mais je ne le crois pas, Isaac. Ce qui est miraculeux, ce n'est pas que la semence de ton père ait pu germer, mais que ta mère ait pu enfanter à son âge. Tu es loin d'être le premier garçon à avoir été engendré par un homme de l'âge de ton père, voire plus vieux : tous tes prédécesseurs sont devenus des hommes vigoureux. Toi aussi, mon Isaac, tu deviendras fort, plus fort peut-être que ton père. Moi, je vois bien que c'est de sa semence que tu es né. Il me suffit, pour cela, de te regarder, comme il me suffit de regarder un troupeau pour savoir que tel bélier a engendré tel agneau.

– Mais s'il en est ainsi, pourquoi m'as-tu dit qu'en voulant me sacrifier, mon père obéissait à sa voix intérieure ? Autrement dit qu'il a voulu me tuer délibérément !

– Je ne sais pas lire dans les pensées de ton père, même si je le connais assez bien – à l'instigation de Sara j'ai passé des mois, avant la naissance d'Ismaël, à le surveiller et tout récemment encore, elle m'a redemandé de ne pas le perdre de vue. J'ai quatre filles, mais aucun garçon, c'est peut-être pour cela que je te considère un peu, Isaac, comme mon propre fils. Le comportement bizarre de ton père m'avait alerté : je vous aurais suivis, toi et lui, même si Sara ne me l'avait pas ordonné. Cela a commencé il y a plus d'un an… Viens, asseyons-nous un peu. Nous avons le temps ; nous aurons rejoint ton père avant que, pour la plus grande gloire du sublime Râ, un soleil nouveau ait surgi des ténèbres de l'enfer.

Omaan s'accroupit sur une pierre plate et fit asseoir Isaac près de lui. Appuyé contre les jambes du jeune garçon, le bélier s'étendit dans le sable encore chaud.

– Ce que je vais te dire n'est pas toujours réjouissant, mais pour savoir à quoi t'en tenir, il faut que tu comprennes bien pourquoi ton père a entendu la fameuse Voix, qui est en fait la sienne. Je ne prétends pas connaître l'avenir, je ne peux pas affirmer que ce que je vais dire arrivera un jour, mais je dis seulement que cela peut arriver. Après que tu m'auras écouté jusqu'au bout, il te faudra, pour vivre heureux, te réconcilier avec ton père et avec son Dieu. Faute de quoi, ce n'est pas le couteau de ton père, mais tes propres doutes qui mettront fin à ton bonheur.

– Tu es vraiment un sage, Omaan. Dis-moi ce que je dois entendre, mais avant toutes choses, explique-moi pourquoi la voix de mon père lui a ordonné de me sacrifier ? Qui dois-je craindre le plus ? Lui ou son Dieu ?

Ayant deviné qu'il allait entendre un récit long et circonstancié, Isaac s'installa confortablement. L'Égyptien poursuivit :

– Lorsque tu auras l'âge de prendre femme, mon cher Isaac, je te dirai pourquoi ta mère a donné Hagar, sa plus belle servante, à ton père, afin qu'il vive avec elle comme un époux vit avec son épouse. Aujourd'hui, je commencerai à la naissance d'Ismaël, fruit de l'amour passionné de ton père pour Hagar. Abraham vit dans cette naissance la réponse tant attendue de Dieu à ses innombrables prières et sacrifices. Ismaël, futur chef d'une tribu appelée à peupler la terre, devait incarner son Alliance avec son Dieu. Abraham lui consacra le plus clair de son temps, l'emmenant bientôt avec lui à la chasse, à la pêche et sur les prés pour inspecter les troupeaux. C'est avec un immense plaisir qu'il le voyait grandir pour devenir un jeune homme fort et intelligent, habile dans tous les exercices. Et lorsque Abraham se rendit au sommet de la montagne, là où éclairé par les rayons du soleil nouveau il dialoguait avec son Dieu, c'était encore en sa compagnie. Abraham passait ses jours avec l'enfant et ses nuits avec Hagar. Une nuit, Sara qui dormait seule dans sa tente entendit Dieu confirmer sa promesse : oui, elle aussi, elle donnerait un fils à Abraham. Sara s'empressa d'apprendre la nouvelle à son mari, qui sans mettre en doute la parole de Dieu, continua à passer ses nuits avec Hagar. Sans doute pensait-il que si Dieu entendait faire un miracle avec Sara, il n'avait pas besoin de son concours. Sur ces entrefaites, les trois étrangers dont tu as déjà entendu parler, vinrent annoncer à Sara qu'elle allait accoucher d'un garçon. Selon certains, Loth ne serait pas étranger à cette affaire, mais nous ne saurons peut-être jamais quel a été exactement son rôle. Tous les jours, Sara ingurgita la mixture que ces charlatans lui avaient préparée, et en effet, son ventre se mit à grossir. Alors, Abraham et Sara ne se sentirent plus de joie. Ils jubilèrent en te voyant arriver, puis grandir. Mais un jour, Abraham entendit de nouveau la Voix de son Dieu et, comme tu le sais, chassa Hagar et Ismaël. J'ignore ce que put bien dire cette Voix à ton père, mais, comme tu le sais certainement, il semble que Dieu ait fini par ordonner à Abraham d'obéir à son épouse. Mais les choses se sont-elles vraiment passées de cette façon ? Je vois mal un dieu, quel qu'il soit, imposer par le truchement d'une épouse, un acte aussi cruel, un véritable crève-cœur. Certes, nos dieux se plaisent parfois à dresser l'un contre l'autre l'époux et l'épouse. On dit à propos d'Hathor, la déesse de l'amour, qu'elle sème la zizanie dans les couples, car pour certains d'entre eux la réconciliation constituerait la suprême joie de l'existence.

— Je t'en prie, Omaan, laisse donc tomber Hathor ! Tu me dis que tu ignores les paroles que le Seigneur a adressées à mon père. En effet, tu ne peux rien en savoir, car en dehors des siennes, aucune oreille humaine ne les a entendues. Mais, à ton avis, qu'est-ce qui a pu décider mon père à chasser les êtres qu'il aimait ?

— Pour répondre à ta question, il me serait facile d'invoquer mon ignorance, car en vérité nous ne sommes jamais sûrs de rien. Supposons que tu me dises : « je suis fatigué », comment pourrais-je alors savoir si tu es capable de gravir la montagne qui se dresse devant nous ? Notre ouïe nous trompe souvent : « je suis las », dis-tu en entrant dans ma tente, et au lieu de t'inviter à t'asseoir, je réponds : « je vois bien », car j'ai compris : « je suis là ». Nous entendons souvent ce que nous voulons ou ce que nous croyons entendre. Si au milieu de la forêt j'entends tout à coup…

— Je comprends, Omaan, je comprends, mais ce que je veux connaître, ce sont les raisons qui ont poussé mon père à chasser Hagar et Ismaël.

– Tu as raison, j'ai assez tourné autour du pot. Je me suis souvent posé cette question, sachant qu'en agissant ainsi Abraham s'est infligé une douleur extrême. D'ailleurs, son acte a bouleversé ma vie et celle de bien d'autres personnes. Tu veux connaître le comment et le pourquoi de cet acte… Je te dirai tout ce que je sais à ce sujet, mais ne va pas croire que je détiens toute la vérité. Crois-moi, Isaac, ce n'est pas de moi que je parle quand je dis que le sage se trompe bien plus souvent que le simple d'esprit, car pour accroître notre sagesse, nous devons la conduire sur des terrains inconnus, alors que le simple d'esprit hante toujours les mêmes allées.

Pensif, l'Égyptien s'interrompit quelques instants, puis reprit, sans toutefois répondre à la question de son interlocuteur.

– Je sais que tu te demanderas jusqu'à ton dernier jour pourquoi ton père a levé son couteau sur toi, pourquoi il a voulu attenter à ta vie… Certains cherchent à oublier à tout prix les événements qui ont bouleversé leur existence, ébranlé leur confiance en leurs prochains, en leur père, en leur mère, et entamé leur foi en Dieu. D'autres ne peuvent surmonter leur douleur qu'à condition de comprendre ce qui leur est arrivé. Tu vois donc que pour expliquer ce qui s'est passé hier, il faut remonter à l'expulsion de ton frère. Dans les deux cas, c'est le sentiment de culpabilité qui est en cause. Gardons-nous de sous-estimer la force de ce sentiment capable de nous faire commettre les pires exactions, nous rendant ainsi esclaves de ceux contre qui nous avons péché. En persuadant Sara de coucher avec le pharaon, Abraham avait péché contre elle et son sentiment de culpabilité ne fit que s'exacerber lorsque sa femme ayant éveillé le désir du pharaon, ce dernier combla de biens celui qu'il prenait pour le frère de sa concubine.

– Une fois de plus, tu me parles de choses que je connais parfaitement et qui n'ont rien à voir…

– À défaut de certitudes, je te fais part de mes suppositions. Je crois en effet que c'est son sentiment de culpabilité

141

qui a conduit ton père à se soumettre à la volonté de ma maîtresse, mais son orgueil de mâle et de chef de tribu lui interdisant de l'admettre, il s'est persuadé d'avoir reçu l'ordre non pas de Sara, mais de Dieu.

– Mais pourquoi, connaissant la douleur qu'elle nous infligeait, ma mère a-t-elle souhaité le départ d'Ismaël ?

– Elle éprouve pour toi un amour sans bornes et veut à tout prix te garder pour elle. Elle n'acceptera jamais de partager cet amour. Plus tu aimais Ismaël et Hagar, et plus elle craignait de te perdre. De plus, elle ne voulait pas qu'Abraham partage avec Ismaël l'amour qu'il a pour toi… Ni, bien entendu, sa fortune et son pouvoir.

– Mais c'est lorsque nous étions ensemble tous les trois que j'ai senti le mieux son amour.

– Certes, plusieurs personnes l'ont entendu dire : « Depuis que je les ai chassés, j'ai l'impression de m'être arraché le cœur. » Il a le sentiment qu'il ne pourra jamais plus aimer. C'est au prix d'une souffrance terrible, qu'Abraham a chassé l'enfant de Hagar, son fils aîné, et depuis il n'a jamais cessé de penser à lui. Que de fois – et tu le sais bien – n'a-t-il pas envoyé ses serviteurs auprès d'Ismaël pour prendre de ses nouvelles ; que de cadeaux ne leur a-t-il fait parvenir pour se faire pardonner…

Une pointe de jalousie perçait dans la voix d'Omaan, qui aurait bien voulu être à la place de ces serviteurs. De son côté, sur l'ordre de sa maîtresse, il lui avait fallu faire espionner Ismaël et Hagar. Il croyait désormais nécessaire de parler à son protégé de cette mission.

– Il faut que tu saches, Isaac, que ta mère a également envoyé des émissaires auprès d'Ismaël et de Hagar. Mais c'était pour s'assurer que ces derniers n'avaient pas l'intention de revenir de leur exil, cette fois avec des armes, pour permettre à Ismaël de venger l'affront qu'il avait subi. Ensuite, ton père eut une Vision que la voyante préférée de Sara s'empressa d'interpréter. Ta mère me demanda alors de ne jamais vous perdre de vue, ton père et toi. La Vision ou le rêve de ton père tournait sans doute autour de toi et d'Ismaël…

– Qu'a-t-il vu, qu'a-t-il rêvé exactement ? Qu'est-ce qui te fait croire que c'est à cause de cette Vision qu'il a voulu me sacrifier ? Et Ismaël ? Qu'a-t-il à voir avec tout cela ?

– Sara, la seule personne à qui Abraham a raconté sa vision, n'en a parlé qu'à sa voyante, cette vieille sorcière bossue qui reste quelquefois des semaines sans ouvrir la bouche. Elle m'en a glissé deux mots le jour où je lui ai amené la meilleure chèvre de ta mère, celle qui donne le plus de lait. Si donc tu veux connaître ce qui a été révélé à ton père, c'est cette vieille taciturne que tu dois interroger.

– Je le ferai dès notre retour… Mais dis-moi, Omaan, crois-tu aux visions ? Crois-tu qu'elles nous renseignent sur notre avenir ? Et qu'une fois entrevu, cet avenir est immuable, que nous ne pouvons rien pour le modifier ?

– Je crois que nos visions et nos rêves nous révèlent ce qui peut se passer, et qui tôt ou tard advient en effet.

– Mais tu ne crois pas, n'est-ce pas, que mon père a entendu la Voix de Dieu lui ordonnant de me sacrifier ?

– Nous entendons tous des voix qui nous guident et nous indiquent ce que nous devons faire.

– Crois-tu, Omaan, que ce sont les dieux qui nous parlent dans ces occasions ?

– Nous entendons tous des voix de toutes sortes, Isaac. Il se peut que certaines d'entre elles soient plus fortes que d'autres ; ce qui est certain, c'est qu'elles sont diverses et quelquefois contradictoires. À la chasse, il t'arrive de traquer pendant toute une journée un chat sauvage, qui finit par grimper sur un arbre pour disparaître parmi les feuillages. Tu entends alors une voix qui te dit : « Intelligente et habile comme elle est, cette bête mérite que je la laisse en vie. » Cette voix est celle de la générosité. Mais aussitôt après, tu te dis : « Si je me suis donné toute cette peine, ce n'est pas pour rentrer bredouille. » C'est la voix de l'avidité. « Il faut que j'abatte cet arbre », suggère ton impatience. Mais une autre voix, celle de la paresse, te dit : « Le jeu n'en vaut pas la chandelle. » « J'allume le feu au pied de l'arbre pour faire sortir le chat de sa cachette ! » dit une troisième voix, celle de l'imprudence. « Je risque d'incendier toute la forêt », répond la voix de la prudence. Tu peux aussi bien dire que se sont exprimées là les voix du dieu du chat, de la déesse de l'arbre et du dieu du feu. Il ne dépend pas de nous d'entendre toutes ces voix, mais il nous appartient de choisir celle que finalement nous allons écouter. Cependant, je n'arrive pas à imaginer ce qui se passe lorsque quelqu'un, comme ton père, n'entend qu'une seule voix. Je pense qu'il en devient l'esclave.

Omaan se tut et chercha, sans y parvenir, à se représenter l'état d'esprit de celui qui ne perçoit qu'une seule voix.

– Oui, moi aussi j'entends de multiples voix, exactement comme tu viens de le dire, Omaan ! Cela signifie-t-il qu'au fond de moi-même, je crois en plusieurs dieux ?

– Ton père affirme qu'il n'existe qu'un seul Dieu. Tu dois donc croire en Lui, Lui qui n'est pas seulement le Dieu de ton père, mais aussi celui de ta mère. Mais cela ne t'empêche pas d'être également attentif à d'autres voix que la sienne. Ne prends aucune décision importante sans avoir écouté toutes les voix qui te parlent. Ton père n'entend qu'une seule voix : c'est ce qui assure son pouvoir sur son peuple. Tel est le lot de tous les fanatiques, telle est leur force et leur faiblesse en même temps. Cependant, ton peuple a surnommé les prophètes de « nabi », ce qui signifie « simple d'esprit »…

– Tu veux dire que n'entendre qu'une seule voix peut être dangereux ?

– Un dieu unique peut te combler d'honneurs et de biens plus abondants que ne pourraient le faire plusieurs dieux rivaux. Mais s'il se détourne de toi, ou pire, s'il se dresse contre toi, tu seras plus malheureux que le voyageur solitaire pris dans les sables mouvants du désert. Et qu'arrivera-t-il si ton Dieu vrai et unique s'avise de te mettre à l'épreuve et que tu te révèles incapable de la surmonter ? C'est ainsi que Caïn, selon ton père, n'a pas réussi à obtenir la grâce de Dieu.

Flatté par l'attention d'Isaac, Omaan s'étendit longuement sur ce sujet dont l'absurdité le tenait préoccupé. Jusque-là, il n'avait rencontré personne à qui faire part de ses réflexions.

« Depuis que mon ami Aïn-Noïham, source de toutes les sagesses, est mort des suites d'une blessure reçue à la bataille du Néguév, je n'ai trouvé personne à qui parler de ces choses », se disait Omaan tout en poursuivant ses explications auprès d'Isaac. « Pourrais-je éveiller en cet enfant la passion de la réflexion, comme Aïn l'a éveillée en moi ? » se demandait-il.

– Il se peut qu'aucun de nos dieux ne soit aussi puissants que le Dieu unique de ton père qui règne sur toutes choses. Nous n'avons pas la foi inébranlable d'Abraham, reprit Omaan. Mais si l'un de nos dieux se détourne de nous, il s'en trouvera toujours un autre pour nous protéger. Si l'un de nos dieux me demandait de lui sacrifier la vie de mon enfant, j'en chercherais un autre, moins exigeant.

– Cependant, Omaan, tu dis qu'après l'effondrement de la tour de Babel, de nombreuses nations sont apparues mais qu'aucune n'a hérité d'un royaume comparable à celui promis par Dieu à mon père. Le puissant pharaon lui-même ne règne que sur une petite partie du monde, alors qu'à entendre mon père, le jour viendra où toute la terre ne sera qu'un seul royaume, celui de son Dieu.

– Veux-tu dire, Isaac, que ton peuple, ayant choisi un Dieu unique, parviendra à s'élever au-dessus de tous les autres ? Dans ce cas, qu'arrivera-t-il le jour où les autres peuples auront compris que le Dieu unique peut les rendre plus forts et plus riches ? Ne crois-tu pas qu'ils se mettront à leur tour au service d'un Dieu unique ?

– Lequel choisiront-ils ?

– Ton peuple croit que Caïn et Abel adoraient le même Seigneur et lui offrirent ce qu'ils avaient de plus précieux. Abel, le chasseur, lui sacrifia le plus beau gibier qu'il eût jamais tué et Caïn, le premier homme à cultiver le blé, les plus beaux épis de sa première moisson. Ton père, le grand prophète, explique de plusieurs façons le fait que le même Dieu accepta le sacrifice de l'un et refusa celui de l'autre. Mais il découle de toutes ses explications que ce tout-puissant Seigneur céleste est un être capricieux et imprévisible. C'est sans doute là que réside sa force. C'est pourquoi Abraham est redouté de tous ses ennemis depuis qu'il a menacé avec succès le pharaon de la vengeance de son Dieu… Abraham sait que l'imprévisibilité représente une force puissante. Vois-tu, Isaac, nous choisissons les dieux dont nous avons besoin. Selon ton peuple, le Dieu en colère aurait ordonné à Adam et à Ève de se cacher et de ne jamais se montrer à Lui. Or, Abraham a compris qu'il est plus sage de se cacher non pas de son Dieu, mais derrière son Dieu. C'est ce qu'il vient de faire en voulant te tuer. Il s'est persuadé que la voix à laquelle il devait obéir était celle de son Dieu Tout-Puissant et imprévisible. C'est pourquoi je te dis, Isaac, que tu n'as rien à craindre : le Dieu de ton père ne lui redemandera plus d'accomplir un sacrifice qu'il ne lui a pas offert.

— T'ai-je bien compris, Omaan ? Je n'ai donc pas à craindre pour ma vie, car ni mon père ni Dieu n'entendent me l'ôter. Mais alors, pourquoi mon père a-t-il levé son couteau sur moi ? Il m'aurait tué si tu n'avais pas retenu sa main.

— Tu dois savoir, Isaac, que l'histoire du premier meurtre est relatée de diverses façons par les différents peuples. Certains croient que Caïn et Abel ne vénéraient pas le même Dieu. Voulant prouver sa supériorité sur son rival, celui de Caïn persuada ce dernier de tuer son frère, et une fois le meurtre accompli, celui d'Abel maudit Caïn. Prenons le Déluge : ton peuple dit que Dieu, créateur de la Terre et de tous les êtres vivants, ne trouvant plus aucun plaisir dans ses créatures, décida un beau jour de les détruire. Tu vois qu'il est dangereux de croire en un seul Dieu qui risque de devenir un tyran capricieux, cruel et vindicatif, et dont les agissements échappent à la raison humaine. Est-ce l'existence d'un tel Dieu qui explique les innombrables souffrances endurées par l'humanité ? D'autres peuples connaissent également l'histoire du Déluge. Certains l'attribuent à la guerre que se seraient livrée deux dieux, celui de la création et celui de la destruction : pendant les quarante jours du Déluge, le second sembla l'emporter sur le premier. Il en est de même en ce qui concerne la tour de Babel. Ton peuple croit que son Dieu, après avoir créé l'Homme à son image et lui avoir conféré le don et le goût de la création, s'est mis en colère en voyant que les hommes avaient réussi à élever un monument dépassant en hauteur toutes les réalisations de leurs prédécesseurs. Quant à nous, nous pensons que désireux de s'emparer de cette tour qui témoignait de la force créatrice des hommes, divers dieux s'adressèrent à ces derniers, chacun en une langue différente : ne se comprenant plus, les constructeurs de la tour finirent par se séparer : chacun fonda son peuple et vénéra un dieu différent. Par la suite, craignant qu'un Dieu unique ne les écrasât de sa puissance, chaque peuple se chercha de nouveaux dieux...

– Comment se fait-il que mon père n'adore qu'un seul Dieu ? N'a-t-il pas craint les autres en leur tournant le dos ?

– Qui te dit qu'il n'a pas peur ? Il craint son Dieu et t'exhorte à faire de même, car il l'a investi d'une force qui peut à la fois assurer la grandeur de son peuple et causer sa perte. C'est pourquoi il s'efforce de lui plaire, de l'amadouer pour mieux le connaître et pour mieux l'utiliser... Son Dieu est semblable au feu dont nous redoutions jadis la force destructrice, mais que nous avons fini par maîtriser et par asservir, non seulement pour cuire nos aliments, mais aussi pour éloigner, la nuit, les fauves menaçants et pour incendier les camps de nos ennemis. Tout en craignant son Dieu et tout en étant prêt à tout lui sacrifier pour vaincre cette peur, Abraham l'utilise à ses fins. Il redoute le pouvoir de son Dieu unique et imprévisible, mais il a besoin de lui, car en lui conférant toujours plus de puissance, c'est son propre pouvoir qu'il accroît.

– Mais pourquoi ?

– Parce qu'il est jaloux du pouvoir du pharaon. Il veut être plus puissant et plus redoutable que tous les pharaons qui ont régné et qui régneront et entend transmettre ce pouvoir à ses descendants.

Pendant qu'ils parlaient ainsi, le croissant de lune accomplissait un long parcours au firmament. Isaac buvait les paroles d'Omaan. Quand celui-ci eut fini de parler, Isaac lui demanda :

– Dis-moi, ô sage Omaan, le récit des événements de la journée d'hier se transmettra-t-il – comme pour Adam et Ève, pour leurs descendants Noé et Rakama ou pour la tour de Babel – de génération en génération ? Et si tel devait être le cas, que penseront les hommes à venir de mon père Abraham, et que diront-ils de toi, qui m'as sauvé la vie ?

– Le cas de ton père, prêt à te sacrifier à son Dieu, restera, j'en suis sûr, tout aussi mémorable que les récits illustrant la puissance des dieux. Le temps n'entamera pas sa crédibilité, car les gens aiment croire que leurs actes sont dirigés par des forces qui les dépassent. Cependant, personne en dehors de nous deux ne saura jamais que c'est moi qui t'ai sauvé la vie, car nos peuples rechignent à admettre qu'une force purement humaine soit capable de retenir la main d'un homme habité par la foi en Dieu. L'épreuve que tu as subie t'a mûri : te voilà adulte, même si tu te sens encore enfant ; te voilà en quête de ton propre Dieu, même si personne, en dehors de nous deux, ne doit rien en savoir pendant de nombreuses générations. En cherchant à comprendre ce qui t'est arrivé, tu deviendras, mon cher Isaac, le prophète de ces prophètes qui, plus tard, accepteront l'idée d'un Dieu créateur qui vit en eux comme en chaque être humain. Mais auparavant, bien des générations auront cherché Dieu dans les cieux, poussées qu'elles seront par le besoin de placer leur Seigneur au-dessus des idoles du passé et au-dessus des dieux jugés ennemis de leurs voisins.

– Mais qu'est-ce qui t'autorise, ô sage Omaan, à croire que c'est en moi-même que je découvrirai mon Dieu ? s'écria Isaac surpris.

Il avait la vague intuition de ce que le Dieu d'Abraham ne pouvait être le créateur de l'univers. Mais face à son père, ou bien avec ces prophètes à venir qui ne manqueraient pas de proclamer l'existence d'un Dieu unique résidant dans les cieux, il ne se sentait pas de taille. Pourtant, ce dieu-là demeurerait toujours à ses yeux une invention des hommes, un dieu cruel, assoiffé de sang. Il ne devait qu'au seul courage d'Omaan d'avoir échappé à ses griffes.

– Tu dis que l'esprit créateur de Dieu est présent en chacun de nous. Mais tu dis aussi que des générations de prophètes le chercheront dans les cieux, que la fumée de leurs holocaustes s'élèvera comme il aurait dû en être avec ton propre corps. Après ce qui s'est passé hier, pourquoi continuerait-on à servir ce Seigneur inaccessible qui a ordonné à son premier prophète de lever le couteau sur son propre fils ?

– Parce que, comme je te l'ai dit, les gens auront besoin de placer leur Dieu au-dessus des idoles qu'ils ont adorées dans le passé et au-dessus des dieux de leurs voisins. Tant que les hommes tireront gloire du sang versé lors des combats, tant que cette gloire leur survivra, bref, tant qu'il y aura quelque avantage à faire couler le sang, le besoin d'un Dieu Tout-Puissant, d'une Providence céleste, le besoin de concevoir un Dieu qui, en acceptant les sacrifices humains, justifie le désir de meurtre des fauteurs de guerre, s'imposera.

– Et qu'est-ce qui te fait croire que je serai prophète ? Je croyais qu'il fallait y être prédestiné par sa naissance ou appelé par Dieu.

– Tu as parlé aux bergers de la voix de ton cœur et

c'était là une Voix divine qui nous indiquait le chemin à suivre. Elle s'adressait à ceux qui croient en eux-mêmes, en leur force créatrice toujours renouvelée. Ce genre d'homme – et sa descendance – doit pouvoir attendre patiemment de recevoir son Dieu en héritage. Aussi doit-il survivre à ceux qui cherchent leurs dieux en dehors d'eux-mêmes, dans tous les coins de la Terre et dans toutes les constellations du ciel, lesquels d'ailleurs leur sembleront tout aussi vides que les idoles en argile brisées par ton père devant son peuple. C'est une longue vie qui t'attend, mon cher Isaac, et si tu continues à écouter la voix qui parle en toi, tu finiras par trouver le Dieu qui t'habite. Certes, tu honoreras ton père et son Dieu unique, mais c'est avant tout de ton propre salut que tu dois te préoccuper. La sagesse que tu auras découverte en toi-même te permettra de voir bien plus loin que ton père ou n'importe quel prophète ayant les yeux fixés au ciel.

– Dépêchons-nous, Omaan. Allons porter ce magnifique bélier à mon père afin de dissiper son angoisse, ainsi que la mienne.

***

– C'est toi, Omaan ? C'est toi, Isaac ?

Timide et chuchotante, la voix d'Abraham qui leur parvint de derrière un buisson les fit tressaillir.

– C'est nous, mon maître Abraham, chuchota hésitant l'Égyptien.

La faible lueur de la lune masquait les traits du prophète.

– Avez-vous amené la bête à sacrifier ? Je n'ai pas entendu le bruit de ses sabots sur le sentier, s'inquiéta Abraham.

– Nous l'avons portée sur nos épaules, à tour de rôle, pour ne pas la fatiguer et pour éviter qu'elle se blesse. Ce sera une offrande digne de ton Dieu et son bêlement montera jusqu'au ciel.

– Amenez-la vite près du feu !

Abraham apparut sur le sentier. Il conduisit Omaan et Isaac à travers un étroit passage, dans une vaste grotte au fond de laquelle brûlait un feu plutôt modeste. Abraham se saisit d'une branche enflammée et examina le bélier qu'Isaac portait toujours sur ses épaules.

– Vous l'avez bien choisi ! Un très beau spécimen !

Il tordit violemment l'oreille du bélier dont le cri plaintif, renvoyé par les parois, résonna longtemps dans la grotte.

– J'ai attendu toute la nuit la réponse de Dieu à mes suppliques, poursuivit Abraham. En vain. Prions pour qu'Il entende les cris d'agonie de ce splendide bélier et pour qu'Il veuille bien jeter son regard sur nous dès les premières lueurs de l'aube !

– Nous, mon maître Abraham, nous avons entendu la parole de ton Dieu. Il s'est adressé à nous par le truchement de ton fils Isaac. Permets-nous de nous asseoir pour te narrer les événements de la journée et te rapporter les propos des bergers dans la vallée.

Omaan fit part à Abraham de tout ce que Chabou lui avait appris au sujet des hommes envoyés contre Ismaël. Il compléta son récit par des éléments dont il avait pris connaissance antérieurement. Abraham l'écoutait, ému. De temps à autre, il remuait le feu pour mieux observer, à la lueur des flammes, le visage de son fils et celui de l'Égyptien. Lorsque Omaan se tut, il déclara :

– Si tu n'avais pas été là, Omaan, et si mon Dieu miséricordieux n'avait pas guidé vos pas, j'aurais perdu mes deux fils, celui que j'ai eu avec Sara comme celui que m'avait donné Hagar. Ô, Sara, pourquoi agir ainsi avec moi ? Pourquoi te mettre en travers de mon chemin ? Pourquoi faire écran entre mon Dieu et moi ? demanda-t-il à voix haute.

Omaan tenait à défendre sa maîtresse.

– Souviens-toi, mon maître Abraham, qu'à votre arrivée en Égypte c'est toi qui lui as demandé de te renier, de cacher

151

qu'elle était ton épouse, afin que tu sois bien traité au pays du pharaon. Tu lui as même recommandé de se montrer plus désirable que les autres concubines du pharaon... Quand un homme demande à sa femme de se donner à un autre homme, il ne peut guère espérer conserver son estime.

— Ensuite, lâcha-t-il car cette idée le préoccupait depuis longtemps, lorsque vous êtes revenus ici, sur la terre de Canaan, tu as demandé à ton Dieu de t'accorder un enfant mâle. Pourtant, tu te refusais à ton épouse, tout en ayant les yeux rivés au ciel. Pour justifier tes actes, tu invoquais l'ordre de Dieu. Eh bien, ton épouse agit exactement comme toi. Vous avez, tous les deux, entendu les paroles de Dieu. C'est la même voix, celle de la peur, qui t'a persuadé qu'Isaac devait mourir et qui a persuadé ma maîtresse qu'elle devait chasser Ismaël. Et de même que tu as voulu protéger le fils que Hagar t'a donné, Sara tenait à préserver la vie de l'enfant que Dieu lui a accordé.

— J'entends ce que tu dis, Omaan, mais je n'en comprends pas le sens ! s'écria Isaac désespéré. L'un de vous deux pourrait peut-être m'expliquer...

— Je t'ai déjà dit tout ce que je pouvais t'apprendre à ce sujet. Il faut maintenant que tu parles à ton père. Il faut te réconcilier avec lui, comme il lui faut se réconcilier avec toi, puis avec Sara, sa femme et ma maîtresse. Je vous laisse entre vous. Je vais coucher à la belle étoile, car je ne crains pas la foudre d'un quelconque dieu siégeant dans les cieux lointains. J'attendrai au dehors de la grotte que tu prononces les paroles de la réconciliation. Quant au bélier, je l'attacherai à un buisson afin de l'empêcher de vous déranger par ses bêlements.

— Voici mon couteau, prends-le, dit Abraham. Je veux qu'Isaac puisse me parler sans crainte. Et je voudrais aussi te voir te reposer tranquillement, sans craindre la colère de Sara. Quant à Isaac, je ne toucherai à aucun de ses cheveux. Il n'a plus à me craindre, et moi je ne le crains pas davantage.

Chapitre III

– Viens t'asseoir près de moi, Isaac ! Tu n'as rien à craindre. Ta souffrance m'a rendu sourd à la Voix de mon Dieu !

– Je ne te crains plus, mon père ! Mais si ma mort est nécessaire à ton Dieu, je périrai, quelle que soit la main qui tient le couteau fatal. Si, à l'aube, c'est moi que le Seigneur choisit à la place de la bête, tu devras te résigner à sa volonté. Mais s'Il approuve le bélier, il m'appartiendra de me réconcilier avec toi et toi, tu devras faire la paix avec ma mère. À présent, il faut que je comprenne les paroles des bergers et celles d'Omaan : est-ce bien entre Ismaël et moi que tu dois choisir et non entre le bélier et moi ? Réponds, père, je t'en supplie, afin que je puisse vivre en paix avec toi et avec ton Dieu !

– Chabou et Omaan ont dit la vérité. Pour protéger mon fils aîné Ismaël, l'enfant de Hagar, des intrigues de Sara, j'étais prêt à te sacrifier à mon Dieu, toi, le fils qui a été donné à Sara dans sa vieillesse. Ta mère a envoyé ses hommes contre ton frère, car après ce qui s'est passé, elle ne te croit pas en sécurité tant que l'exilé est encore en vie. Certains disent que c'est mon frère Loth qui a empoisonné son cœur. S'il en est ainsi, je n'ai qu'à m'en prendre à moi-même. Il faut que je réponde à une question que je ne me suis jamais posée jusqu'à présent : pourquoi est-ce à Ève que nous devons d'avoir été expulsés du Paradis ? Et où en serions-nous aujourd'hui si elle n'avait pas cueilli la pomme du savoir ?

Abraham avait toujours préféré se pencher sur le passé lointain que sur ses soucis quotidiens ou les querelles qui agitaient son campement. Cette fois encore, il regrettait visiblement d'avoir trop parlé. Isaac, qui s'en aperçut, choisit pourtant de parler de sa mère plutôt que d'Ève, notre mère ancestrale, car Sara lui importait davantage. Il interpella en ces termes son père, perdu dans ses considérations sur le passé :

– Crois-moi, père, ma mère t'aime comme toi tu l'aimes. Mais, dis-moi, pourquoi tenez-vous à vivre de façon à plaire à votre Dieu plutôt qu'à vous-mêmes ? Pourquoi ne vous présentez-vous pas à Lui la main dans la main, afin qu'Il vous indique à tous deux le seul chemin à suivre ? Pourquoi, quand vous avez quelque chose à vous dire, le faites-vous par Son intermédiaire ? Croyez-vous vraiment que le Seigneur n'ait rien de plus important à faire que de vous conseiller ?

– Nous agissons toujours selon la volonté de Dieu. Te souviens-tu de ces pantins que les Karamites agitaient au-dessus des têtes des badauds les jours de foire ? Eh bien, entre les mains de Dieu, nous sommes tous des pantins. Et Lui, Il ne nous parle pas seulement avec des paroles. Il nous fait entrevoir l'avenir par des apparitions et nous révèle le chemin à suivre pour accomplir Sa volonté. Si nous nous méprenons sur Son message, c'est notre faute et non la sienne.

– Et quel message t'a-t-Il envoyé dernièrement, mon père ? Omaan me dit que ma mère lui a ordonné de nous suivre après que tu lui eus parlé de tes révélations sur l'avenir…

– Durant six nuits, Dieu m'a montré ce qui allait se passer entre ton peuple et celui d'Ismaël. La première nuit, je t'ai vu lutter avec Ismaël. La deuxième nuit, j'ai aperçu plusieurs dizaines de tes hommes combattre au moyen d'armes ceux d'Ismaël. La troisième nuit, vous étiez plusieurs centaines à vous entretuer : le sol était jonché de cadavres et de blessés se tordant de douleur. La quatrième nuit, vous étiez plusieurs milliers à vous battre ; nombre d'entre vous, montés sur des bêtes, portaient des masques d'animaux et, insensibles aux coups de sabres, massacraient sans pitié leurs adversaires sans défense. La cinquième nuit, des dizaines de milliers d'hommes armés parcouraient la terre, agressant des populations qui leurs étaient parfaitement inconnues. Porteurs d'étendards et d'autres signes distinctifs, c'est toujours au nom de Dieu qu'ils commettaient leurs meurtres et c'est en prononçant son nom qu'ils rendaient l'âme. Venus de loin, ils s'employaient à tuer leurs congénères, dont ils ne convoitaient pourtant ni les champs ni les troupeaux, et retournaient chez eux sans s'être réconciliés avec leurs adversaires, ramenant en guise de butin des maladies plus meurtrières que leurs armes. Hommes, femmes et enfants succombaient par milliers.

La voix d'Abraham s'affaiblit de plus en plus ; ses yeux se voilèrent et son visage s'assombrit. Isaac devina que le pire était encore à venir, que son père n'avait pas encore dévoilé toute l'horreur de sa vision. En effet, c'est d'une voix tremblante qu'Abraham poursuivit :

– La sixième nuit, j'ai vu ton peuple et celui d'Ismaël se dissimulant dans le ventre des dragons pour mieux s'entretuer, sillonnant la terre, les mers et le ciel, n'épargnant même pas les nourrissons dans les bras de leur mère. Des milliers d'hommes étaient brûlés vifs et des colonnes de fumée s'élevaient vers le ciel, semblables à celles de l'holocauste d'Abel, mais sans doute peu agréables à Dieu. Ces sacrifices étaient offerts sur des autels de dieux créés par des hommes et au nom d'hommes qui se prenaient pour des dieux. À la vue de tant d'horreurs, je me suis écrié : « Pourquoi, Seigneur, m'as-tu donné deux enfants mâles, s'ils ne peuvent pas vivre en paix ? Pourquoi m'avoir donné deux fils dont les descendants ne cesseront jamais de se battre ? »

« C'est alors que j'ai entendu la Voix de mon Seigneur :

– Abraham ! Abraham !

– Je t'entends, Seigneur ! dis-je.

« Il me parla alors en ces termes : ″Je t'ai choisi, Abraham, parmi les hommes de ton peuple et toi, tu dois choisir entre tes deux enfants. Celui que tu auras sacrifié pour moi apportera la paix à la descendance de l'autre. Ainsi sera fait, si tu obéis à ton Seigneur céleste, à ton Dieu unique !″

– Et que s'est-il passé ensuite, père ? As-tu connu une septième nuit de visions ?

– Non. La douleur que j'éprouvais après la sixième nuit a brouillé ma vue. J'ai passé quarante jours et quarante nuits dans le désert, en demandant d'innombrables fois à Dieu lequel de mes deux fils apporterait la paix aux peuples de la terre ? Et comment moi, je pourrais être le messager de cette paix ? Qu'arriverait-il si seul restait en vie Ismaël, le fils issu des entrailles de Hagar ? Et je voyais alors le peuple d'Ismaël croître et se multiplier en paix. Qu'arriverait-il si c'était toi qui restais en vie ? Et je voyais ton peuple croître et se multiplier. Qu'adviendrait-il si nous ne faisions rien, Sara et moi, pour entraver le destin et si vous restiez tous les deux en vie ? J'étais alors envahi par les images entrevues au cours des six nuits précédentes. De nuit en nuit, j'ai continué à supplier mon Dieu, car je ne pouvais pas me résigner à Sa volonté. N'avait-Il pas exaucé mes vœux en me donnant deux fils ?

– Es-tu sûr, mon père, de pouvoir, en me sacrifiant à la place du bélier, prévenir les meurtres, les souffrances et les destructions que tes visions t'ont révélés ?

– Non ! Après t'avoir ligoté, je n'ai pas eu la force de te frapper et Dieu a été témoin de mes hésitations. Or, Il n'accepte que les sacrifices offerts de bon cœur !

La terreur se lisait sur le visage d'Abraham. Il redoutait à la fois son Dieu et l'horrible avenir que ses visions lui avaient fait entrevoir. Mais lorsqu'il reprit la parole après un long silence, ce ne fut plus la voix de l'homme apeuré que son fils entendit, mais celle, bien plus familière, du prophète qui cherche à instruire. Isaac comprit alors que son père s'efforçait d'interpréter ses visions sous un angle différent.

– Il se peut que tes enfants et ceux d'Ismaël ne trouvent le moyen de vivre en paix les uns avec les autres, mais je sais désormais que ni ta mort, ni celle d'Ismaël ne pourront empêcher les cataclysmes de se produire. À force de marcher, tu arriveras tôt ou tard à la croisée des chemins. Même si je n'avais qu'un seul fils, celui-ci pourrait, comme Adam et Ève, en engendrer deux, dont l'un pourrait lever la main sur l'autre. L'histoire du premier meurtre devrait nous instruire tous…

Abraham se tut, peut-être pour examiner ses visions à la lumière de ses nouvelles idées. Isaac attendit patiemment. Son père recommença à parler, avec un débit de plus en plus rapide.

– Peut-être, en créant l'Homme, Dieu lui-même a-t-il prévu que ses créatures ne s'entendraient pas toujours entre elles. Peut-être l'humanité en est-elle encore à son enfance, peut-être finira-t-elle par se calmer un jour. Mais si, à une certaine époque, les hommes se combattaient encore à coups de pierres et de gourdins, aujourd'hui les soldats du pharaon disposent d'armes nouvelles capables de tuer cinq hommes à la fois. Voyant que l'espèce humaine a entre les mains des moyens de destruction de plus en plus puissants, nous ne pouvons pas nous empêcher de demander : « Dis, Seigneur, à quoi cela nous mènera-t-il à la fin ? » Lorsque mes visions m'ont révélé l'avenir, je me suis écrié : « Dis, Seigneur, jusqu'à quand ces effusions de sang ? L'humanité survivra-t-elle à tant de massacres ? » Je n'ai pas obtenu de réponse à mes questions.

– Et qu'as-tu fait alors, mon père ? Comment as-tu pris une décision ? Lequel de nous deux allais-tu…

– Incapable d'empêcher l'avenir de s'accomplir, j'aurais voulu savoir ce qui adviendrait après une telle catastrophe, mais mon Dieu ne m'a jamais répondu. Toi, Isaac, mon fils chéri, tu devrais te mettre debout sur mes épaules pour voir plus loin que moi. Je te donnerai la sagesse de mes vieux jours, comme j'ai donné à Ismaël la force de ma jeunesse. Dans ma vieillesse, la peur a brouillé ma vue. Les conflits autour de ma tente ont usé mes forces et je n'ai pas su affronter le malheur du monde. J'ai péché contre Sara sur la terre d'Égypte et depuis elle a souvent péché contre moi… Craignant qu'Ismaël ne se tourne contre toi, elle a exigé que je le chasse, ainsi que sa mère. Je m'y serais opposé, car j'aimais Ismaël et Hagar de tout mon cœur, mais Dieu m'a parlé et m'a ordonné d'obéir à ma première épouse.

– Comment sais-tu, mon père, que cette Voix émanait de ton Dieu ?

– Si, comme nous devons le faire tous les deux, tu crois en un Dieu unique qui habite au ciel, la Voix que tu entends est forcément la sienne. Certes, le doute, cet abominable serpent, te guette et t'incite à…

– Dans ce cas, mon père, tu entends non pas une, mais deux voix ! s'écria Isaac avec un immense soulagement, car il venait de se remémorer les propos d'Omaan.

Abraham, qui prenait cette exclamation pour une question, lui répondit :

– Non, mon fils. Le serpent ne saurait nous parler, car après qu'il eut tenté Ève, Dieu lui a coupé la langue. Désormais, ce sont uniquement ses sifflements qui nous parviennent à l'oreille. Dieu lui-même ne peut pas l'empêcher de siffler, car le sifflement est le langage du Malin. C'est aussi celui du doute, que seule la foi peut faire taire.

– Te souviens-tu, père ? Chaque fois qu'à la chasse, nous nous trouvions nez à nez avec un fauve dangereux, tu me disais qu'il fallait raisonner à la fois comme un homme et comme un fauve… Ne devrions-nous pas faire de même avec Dieu…

– Voyons, Isaac ! Il ne nous appartient pas de sonder les intentions de Dieu ni de nous interroger sur leurs tenants et aboutissants. Quant à Dieu, Il n'a nul besoin de « se mettre à notre place » pour « raisonner » comme nous. Il sait très bien ce que nous allons faire. Là-haut, Il connaît l'avenir, comme nous connaissons le passé.

– Dans ce cas, Il savait aussi que tu n'allais pas me sacrifier, s'écria Isaac, avec un profond soulagement. Tu viens de me dire que tu as demandé à Dieu ce qui arriverait si c'était moi qui devais rester en vie. Tu as donc envisagé de m'épargner et de sacrifier à ma place…

– Non, mon fils. Ma question m'avait été suggérée par Dieu afin qu'Il m'instruise sur les intrigues de Sara. Mais peut-être as-tu raison. Peut-être, en effet, avais-je envisagé le cas où… Il se peut également que nous n'ayons qu'une seule alternative : soit nous en remettre entièrement à Dieu, soit prendre notre destinée en mains, quitte à ne jamais pouvoir imputer à Dieu le sort qui nous attend. Quant à moi, je ne peux pas faire peau neuve. Je ne peux pas vivre sans mon Dieu. Il faut que je Lui obéisse. Il faut à tout prix que j'obtienne sa grâce, car je redoute sa colère. Toi aussi, tu dois croire en Lui et si tu parviens à dominer ta peur, tu pourras Le voir à ton tour. Je suis moi, tu es toi et Dieu entend notre voix et parle notre langage. Peut-être ai-je craint en effet que tu ne te tournes contre Ismaël, contre lequel j'avais déjà commis un grand péché. Peut-être ai-je été prêt à faire ce qu'Il souhaitait, pour que le monde puisse vivre en paix. C'est ce que j'ai cru, car pour justifier nos actes les plus vils nous trouvons toujours une excuse, quelque noble cause au nom de laquelle nous prétendons agir.

Il ne dit rien d'autre à son fils, mais il n'en continua pas moins à s'interroger.

« S'est-il agi de sacrifier Isaac pour réparer ma faute contre Ismaël ? Ou bien ai-je voulu rendre à Sara la monnaie de sa pièce ? Ne m'avait-elle pas obligé à chasser Ismaël ? Ou encore, ai-je voulu sacrifier Isaac pour que Sara n'ait plus aucune raison d'attenter à la vie d'Ismaël ? »

Semblable au malheureux prisonnier d'un marécage qui se débat tout en s'enfonçant de plus en plus, Abraham poursuivit longtemps ses réflexions. Isaac attendit patiemment que son père recommençât à parler. Lorsque celui-ci ouvrit enfin la bouche, Isaac, suspendu à ses lèvres, essaya de toutes ses forces de bien comprendre ses paroles. Abraham dit en substance que, bien qu'il aimât ses deux fils d'un même amour, il éprouvait une angoisse constante au sujet du peuple d'Ismaël. Cette phrase fit souffrir Isaac, sans qu'il conçût, pour autant, à l'instar de Caïn, une haine implacable à l'égard de son frère.

– Crois-moi, père, dit-il, je ne me dresserai jamais contre mon frère et j'apprendrai à mes enfants à aimer les siens. Mais si, comme tu le dis, tu as vu l'inéluctable avenir, à quoi servent mes engagements et ce que je pourrai dire à mes enfants ?

– Voilà pourquoi il faudrait que tu voies plus loin que moi et que mes Visions. Dieu est un bon père, il ne dirait jamais : « Mon fils a trébuché, il faut donc que je le chasse loin de moi » ou « Mon fils est incapable de tendre l'arc, donc, je le renie », « Il ne sait pas pêcher un poisson, donc, il devra mourir de faim »… Dieu sait que nous ignorons ce que nous n'avons pas encore eu l'occasion de concevoir et qu'il nous faut du temps pour devenir des hommes véritables. Il faudra sans doute attendre la disparition de plusieurs centaines de générations pour parvenir au degré de perfection voulu par Dieu, qui nous a créés à son image. Oui, mon fils, je te transmettrai mon savoir, je te chercherai une femme qui te donnera de nombreux enfants et qui entendra par ta bouche les paroles de notre Dieu. Qui te servira, afin que tu puisses servir ton Dieu.

Abraham se tut. Ce qu'il venait de dire souleva en lui de nouveaux sujets de méditation.

« Peut-être aurais-je mieux fait de ne prendre qu'une seule femme, se dit-il. Certes, Sara m'a aidé à m'enrichir, mais sans Hagar je mourais pauvre, car je n'aurais jamais su ce qu'est le vrai amour. Serais-je capable de trouver pour mon fils Isaac une femme qui contribue à accroître sa fortune tout en enrichissant sa vie, en éveillant son cœur à l'amour ? Si seulement mes deux fils avaient eu la même mère, Hagar ou Sara ! Je n'aurais pas eu à chasser l'un et à sacrifier l'autre. »

Il n'était pas loin de penser que, dans les deux cas, ce n'était pas pour obéir à la volonté de Dieu qu'il avait agi.

« Ai-je bien entendu mes propres paroles ? se demanda-t-il. À présent, ce n'est pas mon Dieu qui me parle… Est-il possible que ce soit ma voix que j'entende ? »

Jusqu'à présent, Abraham, préoccupé par son Seigneur céleste, n'avait jamais essayé de comprendre ce que le mot moi voulait dire. « Ai-je dit à mon fils Isaac que c'est moi qui ai chassé Hagar et Ismaël et que c'est encore moi qui me suis montré prêt à le sacrifier ? Si tel est le cas, il peut penser à juste titre que c'est moi qui ai pris ces décisions. Mais est-ce vraiment moi qui ai voulu sacrifier mon fils cadet Isaac ? Peut-être que, tout en l'ayant épargné, l'ai-je réellement sacrifié. Ne l'ai-je pas perdu pour toujours en levant mon couteau sur lui, comme j'ai perdu Ismaël ? »

Il jeta sur son fils un regard interrogateur. Dans son tourment, il ne pouvait arrêter le flot de ses pensées. « Au fond, qui est ce moi ? Existe-t-il ailleurs qu'en mon Dieu ? »

Mais ne lui fallait-il pas inverser les termes de sa question et se demander si Dieu existait ailleurs qu'en lui-même ? Cette pensée le travaillait sourdement, mais Abraham n'osait pas se l'avouer, de peur de glisser définitivement dans un abîme.

Au fond de lui-même, Abraham sentait la présence muette de cette question fatale. Les bateliers du Nil ne devinent-ils pas, à la façon dont la surface du fleuve reflète le soleil et la lune, les dangers que recèle le fond ? Plus d'une fois, Abraham les avait vus faire demi-tour et ramer à toute vitesse pour fuir un danger invisible à l'œil du profane. D'autres navigateurs, moins prudents, s'abandonnaient au fleuve sans en surveiller le cours et voyaient leurs embarcations, prises dans un tourbillon, se fracasser en mille morceaux.

« Lorsque je ne serai plus, des bateaux plus solides pilotés par des navigateurs plus vaillants que moi sillonneront ces eaux périlleuses », pensa Abraham. Puis, levant sur son fils un regard empreint de douleur, il lui dit :

– Si ce que j'ai commis contre toi ne te fait pas te détourner de moi pour toujours, et si tu es prêt, comme je t'y ai invité, à te mettre debout sur mes épaules, tu pourras te poser toutes les questions que je n'ai jamais osé envisager. Voyant plus loin que moi, tu pourras t'aventurer sur des eaux inconnues que, pour ma part, je n'ai jamais eu le courage d'affronter, et obtenir des réponses – même si ton peuple n'est pas prêt à les accepter – à des questions que je n'ai jamais osé formuler. Lorsque, les persuadant d'abandonner leurs dieux sanguinaires, j'ai conduit les miens vers un Dieu qui nous offrait une alliance, plusieurs d'entre eux ne m'ont suivi qu'à leur corps défendant…. Est-il possible que ma démarche, certes nécessaire, n'ait constitué qu'un premier pas sur le chemin à accomplir ? En m'ordonnant de me rendre sur la terre de Canaan, le Seigneur ne m'aurait-il indiqué qu'une première source dont l'eau vivifiante nous donnerait la force de poursuivre la route ? Viendra-t-il un jour le navigateur qui, traversant les eaux dangereuses sur sa frêle embarcation, entreprendra un long voyage, dont je ne verrai pas la fin ? Ce navigateur sera-t-il mon fils Isaac ?

Ces dernières questions, Abraham se les posa à lui-même. Il s'adressa ensuite à Isaac :

– Je prie le Seigneur pour que, après t'avoir, par mon intermédiaire, fait subir l'épreuve de l'agonie, Il te fasse renaître à une nouvelle vie et t'accorde deux enfants mâles issus de la matrice d'une même femme. L'un d'eux accomplira ce qui, selon mes Visions, doit advenir et les descendants de l'autre connaîtront l'ère de la paix dont Dieu, après une période de fléaux qu'Il nous enverra pour nous châtier, a prévu l'avènement. La sagesse gagnera alors les hommes et la compréhension régnera entre tous les descendants d'Adam… Que le Seigneur t'accorde une

vie nouvelle et une épouse aimante, et que celle-ci soit la
mère primitive de ceux qui ramèneront sur la terre le
Paradis perdu…

CINQUIÈME PARTIE

Isaac et Rébecca

Abraham dit au plus ancien serviteur de sa maison, qui régissait tous ses biens : « Mets ta main sous ma cuisse et jure-moi par le Seigneur, Dieu du ciel et Dieu de la terre, que tu ne feras pas épouser à mon fils une fille des Cananéens parmi lesquels j'habite. »

Genèse 24, 2-4

Chapitre I

–Abraham ! Abraham ! criaient en chœur trois fillettes, en allongeant les « a ».

Dès qu'elles eurent aperçu la caravane, sans penser à recouvrir leurs chemisettes trempées qui leur collaient au corps, les jeunes baigneuses, pourtant fort pudiques, jaillirent de la rivière et coururent vers la tente du prophète. Sur l'autre rive, précédant l'imposant cortège, un héraut annonça le but de sa visite. S'époumonant de toutes leurs forces, les fillettes réussirent à attirer l'attention d'Abraham.

– Alors, plus moyen de dormir par cette chaleur ? s'indigna Abraham en sortant de sa tente. N'ai-je pas mérité une petite sieste ? À mon âge ! Quel est cet affreux vacarme ?

– Le sage Omaan est de retour ! Il ramène une femme pour Isaac !

– Béni soit le Seigneur et béni soit ce jour ! Voilà plus d'un an qu'Omaan est parti. Si seulement Sara avait vécu assez longtemps pour voir la fiancée que Dieu a donnée à son fils ! Allez dire à mes hommes d'aider la caravane à franchir la rivière et de dresser une tente. Qu'ils se rafraîchissent donc après un si long voyage ! Dites-moi le nom de la promise !

– Elle s'appelle Rébecca et elle est belle comme la fleur du tamaris, affirma la plus grande des trois fillettes, bien que, n'ayant vu la caravane que de loin, elle n'eût guère pu distinguer les traits de la fiancée, ni apprécier l'éclat de ses yeux sombres. Quant à son nom, elle l'avait entendu prononcer par le héraut.

– Va vite chercher Isaac. Dis-lui de venir me trouver.

Abraham se retira dans sa tente pour y attendre son fils. Il n'eut pas à attendre longtemps.

– Viens vite, Isaac, j'ai quelque chose d'important à te dire.

Abraham fit signe à son fils de s'accroupir sur ses talons.

– J'avais demandé au sage Omaan de se rendre, accompagné de quelques-uns de mes serviteurs, dans mon pays natal afin d'y chercher une femme issue de ma tribu. Ils sont de retour avec la jeune fille qu'il a choisie pour toi. Elle s'appelle Rébecca. Va dans ta tente et attends qu'elle finisse de se préparer après un si long voyage. Ensuite, tu la prendras pour ton épouse devant Dieu.

– Ne devrais-je pas, mon père, faire sa connaissance avant de l'épouser ? Me renseigner sur sa famille ? Par ailleurs, je sais si peu de choses sur les femmes et sur leurs habitudes ! Ne devrais-je pas…

– Tu t'inquiètes trop, Isaac ! Tu peux faire confiance aux femmes pour ces choses… Elles sont expertes en la matière. Mais si tu veux, je demande à Omaan de te rejoindre dans ta tente et de t'expliquer tout ce que tu dois savoir avant de connaître ta fiancée, comme l'homme a l'habitude de connaître sa femme… Si toutefois tu as l'âge… Prends cette cruche remplie de mon meilleur vin. De quoi régaler notre ami, après son long voyage !

Isaac retourna dans sa tente où il attendit impatiemment Omaan. Non seulement il lui tardait de connaître la fiancée que l'Égyptien lui avait ramenée, mais aussi il voulait profiter de sa conversation, qu'il appréciait tout particulièrement depuis qu'Omaan lui avait révélé toute la profondeur de sa sagesse sur le Mont de l'Autel. Abraham avait chargé Omaan de transmettre à son fils une partie de son immense savoir sur les peuples qui les entouraient et sur ceux qui vivaient au-delà de l'Égypte.

Isaac accueillit son ancien précepteur en lui donnant l'accolade et lui demanda de prendre place sur la précieuse peau de zèbre qui recouvrait le sol. Ensuite, il s'accroupit en face de lui.

– Dis-moi tout, mon cher ami ! Tout sur la jeune fille que tu me destines et sur sa famille !

Isaac remplit à ras bord la corne à boire d'Omaan.

– Parle-moi de ton voyage, lui dit-il, de la terre qui a vu naître mon père ! Je me réjouis de te voir revenir sain et sauf. Nous étions tous inquiets, avec tous ces bandits de grands chemins !

– Moi aussi je me réjouis de te revoir en bonne santé, mon Isaac. En revanche, j'ai appris avec tristesse que ma maîtresse, ta mère chérie, était morte l'année dernière. Nous l'avons tous pleurée. À la demande de ton père, je dois maintenant t'apprendre tout ce que tu dois savoir. Je l'aurais fait de moi-même, car je te considère comme mon fils. Commençons par le commencement…

Omaan se mit à l'aise. Appuyé sur un coude, il dit :

– Après que ton père nous eut confié ses hommes et dix chameaux chargés des trésors destinés à la famille de ta future épouse, nous nous mîmes en marche vers la mer Morte. Nous fîmes de nombreuses haltes et eûmes souvent à planter nos tentes avant de parvenir sur la terre natale de ton père. Une fois arrivés, nous demandâmes à des bergers de nous conduire auprès de la tribu de ton père : or, celle-ci venait de quitter les lieux. Après bien des tribulations, nous finîmes par la trouver près de la ville d'Ur. Mais nous ne rencontrâmes que des hommes qui, ayant abandonné la vie nomade, avaient laissé leurs femmes, leurs filles et leurs enfants en bas âge dans les demeures qu'ils avaient construites. Quant aux hommes et aux aînés de la fratrie, ils menaient le bétail de pâturage en pâturage et ne retournaient auprès de leur famille que pour moissonner les champs cultivés par les femmes. Nous ne retrouvâmes ces dernières qu'après une longue errance.

Après avoir bu une bonne gorgée de vin, l'Égyptien poursuivit :

– Un soir, près d'Haran, nous arrivâmes à une fontaine où nous pûmes nous rafraîchir et abreuver nos bêtes. Mes hommes avaient déjà commencé à dresser les tentes, lorsque tout à coup, nous vîmes s'approcher un groupe de femmes et de jeunes filles. « Attention, Omaan, me dis-je, observe bien leurs faits et gestes, car le Dieu d'Abraham a peut-être choisi ce moyen pour te faire connaître la jeune fille qu'Il destine à mon Isaac bien-aimé. » Je n'ai pas tardé à apprendre que parmi les porteuses d'eau se trouvait la fille de Betouël, fils de Milka, elle-même femme de Nahor, le frère d'Abraham. La jeune fille portait une cruche sur l'épaule et c'est avec délectation que mon regard se posa sur elle. J'appris qu'elle était vierge, que nul homme ne l'avait connue, bien qu'apparemment, elle fût mûre pour le mariage. Je courus vers elle et la suppliai de me donner à boire. C'était pour la mettre à l'épreuve, car j'avais déjà étanché ma soif avec l'eau de la fontaine. « Bois, mon seigneur », répondit-elle en me mettant sa cruche entre les mains. Elle me demanda ensuite si elle devait puiser de l'eau pour les chameaux. Je l'examinai pour savoir si c'était bien elle que le Dieu de ton père t'avait destinée. Et, en l'entendant parler et en la voyant agir, je n'en eus plus aucun doute. Je pris deux bracelets d'or pesant au moins dix sicles et je les lui passai aux poignets. Ensuite, je lui demandai :

« Dis-moi, je t'en prie, de qui es-tu la fille ? » Et elle répondit : « Je suis Rébecca, fille de Betouël. La paille autant que le fourrage abondent chez nous et il y a de la place chez nous pour vous loger tous. » Je baissai la tête et fis les louanges du Dieu unique de mon maître Abraham. Pudique, la jeune vierge courut à la maison de sa mère : elle oublia sa cruche près de la source. Nous la suivîmes, parce que j'avais hâte de connaître sa famille. Le frère de Rébecca, du nom de Laban, issu comme elle de la matrice de Milka, nous accueillit avec empressement et nous conduisit à la maison de sa mère. Dès qu'il eut vu les bracelets aux bras de sa sœur, il dit aux serviteurs de faire place nette pour nous. Ceux-ci débâtèrent les chameaux, leur donnèrent de la paille et du fourrage et nous apportèrent de l'eau pour que nous puissions nous laver les pieds. J'acceptai volontiers, mais lorsqu'ils nous offrirent de quoi manger, je déclarai : « Je ne mangerai pas avant d'avoir dit pourquoi mon maître m'a mandé auprès de sa famille. » Je leur dis que j'étais le serviteur d'Abraham, que le Seigneur avait comblé de bénédictions mon maître, qu'Il lui avait donné petit et gros bétail, argent et or, serviteurs et servantes, chameaux et ânes. Je parlai aussi de Sara, « la femme de mon maître, morte il y a peu de temps, bénie soit sa mémoire… »

Omaan leva les yeux au ciel, à l'instar de son maître, et répéta tout ce qu'il avait dit à Laban et à sa famille sur Abraham et Sara, sur leur vie depuis que ceux-ci avaient quitté la terre de leurs pères. Enfin, adressant un sourire à Isaac, il poursuivit :

– Je leur ai dit que Sara avait déjà passé l'âge d'enfanter, lorsque le Seigneur lui avait donné un fils de la semence d'Abraham, que son fils avait grandi pour devenir un beau jeune homme très doué. Et qu'il se nomme Isaac, ajoutai-je, ce qui fit sourire tout le monde, car ils savaient que dans votre langue Isaac signifie « celui qui rit souvent ». Je pus ainsi m'assurer que Rébecca, toute occupée qu'elle était à faire la cuisine, suivait la conversation : en effet, en entendant ton nom, elle s'esclaffa. Je prononçai donc devant Laban tout ce que je destinais aux oreilles de Rébecca. Mon maître, dis-je, avait transmis tous ses biens à Isaac et m'avait fait prêter serment, en posant ma main sur son aine, de me rendre dans la maison de son père prendre une femme pour son fils. Laban comprit alors que si j'avais offert ces bijoux précieux à sa sœur Rébecca, c'était parce que je l'avais choisie pour être ton épouse. Laban me demanda de rester une dizaine de jours pour nous reposer et pour leur laisser le temps de préparer Rébecca, mais je lui répondis : « Trop de temps s'est écoulé depuis que je suis parti à la recherche d'une femme pour le fils de mon maître et Isaac est désormais mûr pour accueillir une femme dans son lit. Aussi, voudrais-je repartir au plus vite. »

« Laban me répondit : "Demandons à Rébecca ce qu'elle en pense."

« Rébecca, qui n'avait pas perdu un mot de ce que je disais, se tourna vers son frère et lui dit d'une voix joyeuse : "Ne t'inquiète donc pas, mon frère, je suis prête à me mettre en route pour rejoindre mon époux dont la famille m'a si généreusement comblée."

« Ensuite, rougissante, elle s'adressa à moi : "Si nous partons sans tarder, nous arriverons avant que la lune m'empêche de satisfaire le désir de mon époux."

– Elle t'a dit ça, Omaan ? demanda Isaac, consterné. Vraiment ? Je suis tellement ignorant de la vie des femmes ! Elle était donc pressée parce qu'elle avait peur que sa lune ne l'empêche de satisfaire mon désir. Mais je ne sais même pas si j'éprouve du désir pour elle.

– Ne t'en fais donc pas, mon Isaac. Crois-moi, j'ai bien choisi : Rébecca est comme un fruit mûr : il suffit de la toucher pour qu'elle tombe dans tes bras. Si elle a parlé de la lune, ce n'était pas seulement par rapport à ton désir, mais aussi parce qu'elle connaît la périodicité du sien. Elle a voulu, par ce moyen, me faire comprendre qu'elle était désormais une vraie femme, avec tout ce que cela comporte. Après avoir pris congé de son frère Laban qui nous avait accompagné jusqu'à notre première halte, Rébecca n'a pas cessé de nous interroger à ton sujet. J'ai eu, pendant ce long voyage, l'occasion de tout lui dire sur ta famille et sur toi-même, depuis le jour de ta naissance.

– Lui as-tu parlé des moments joyeux que j'ai passés avec Ismaël quand il me portait sur ses épaules ? Du jour où je suis parti à sa recherche ? De celui où, sur l'ordre de ma mère, tu m'as ramené à la maison ? De ma première partie de chasse où ma flèche avait tué le plus gros des sangliers ? De mon père qui m'a emmené sur le Mont de l'Autel pour me sacrifier ? Lui as-tu dit que c'est toi qui m'as alors sauvé la vie ?

– Je lui ai tout raconté, mais en ce qui concerne ce dernier épisode, j'ai évoqué l'intervention de l'ange du Seigneur et ajouté que tu étais prêt à te sacrifier pour que ton père pût vivre en paix avec son Dieu. Je lui ai dit comment tu as sauvé la vie d'Ismaël en adressant aux bergers, tout enfant que tu étais, des paroles pleines de sagesse. Je lui ai dit que tu as combattu aux côtés de ton père dans la bataille de Karma. Plus Rébecca entendait parler de toi, plus ses yeux brillaient et plus sa poitrine se soulevait. Crois-moi, mon Isaac, même s'il n'y avait en toi pas plus de désir que j'ai de vin au fond de ma corne à boire, le sien – son désir – suffirait pour vous deux. Verse-moi de cet excellent vin et va à la rencontre de ta fiancée : tu verras que bientôt tu la désireras de tout ton corps et de toute ton âme et que, vu son âge, elle sera de plus en plus désirable. Si, toutefois, ajouta-t-il en adressant un clin d'œil à Isaac, tu ne la trouves pas suffisamment désirable, tu peux toujours me la céder : mon épouse serait heureuse de me voir stimulé par une jeune vierge, afin que je sois de nouveau avec elle aussi vigoureux que l'est un jeune bouc avec sa chèvre.

– Tu peux plaisanter, Omaan : vous autres, Égyptiens, vous êtes experts en la matière. Mais, aux dires de nos serviteurs, mes parents, eux, ne se désiraient pas assez. Ou alors, le désir ne suffit pas à l'homme pour témoigner de sa virilité auprès de sa femme. Tant de rumeurs circulent au sujet de mes parents restés si longtemps sans enfant. Si j'ajoutais crédit à certains de ces racontars…

La voix d'Isaac trahissait sa gêne. Il ne lui était pas facile d'aborder ces questions qui pesaient tant sur son cœur.

– Selon la rumeur, s'ils n'ont pas eu d'enfant pendant si longtemps, ce n'est pas faute d'avoir prié le Seigneur… C'est parce qu'ils ne se désiraient pas assez… Pourtant, déjà dans sa jeunesse, mon père était beaucoup plus expérimenté que moi…

– Tu t'angoisses trop, mon cher Isaac. Viens boire avec moi, au lieu de te ronger… Pourquoi ne veux-tu pas admettre que j'ai fait le bon choix ? Non seulement parce que ta fiancée est belle, mais aussi parce qu'elle te vénérera comme un dieu et qu'elle t'appellera son seigneur !

– Ce sera tant pis pour moi, Omaan ! Te souviens-tu du sage Karboul ? On l'appelle le maître de toutes les bêtes et pourquoi ? Parce qu'il comprend et parle le langage des habitants de la forêt. Mais comment pourrais-je être le maître de Rébecca, si je ne la comprends pas ? Tu me dis qu'elle a voulu me rejoindre avant que la lune l'empêche de satisfaire mon désir. Mais moi, sais-je vraiment ce que je dois faire et à quel moment, pour combler le sien. Or, d'après ce que tu me dis, elle déborde de désir…

– Et au lieu de t'en réjouir, tu la crains. Pourquoi, mon cher Isaac ?

– Te souviens-tu, Omaan ? J'ai vécu à Mestiba pendant un an parmi les serviteurs de mon père, sans que personne ne sache qui j'étais.

Isaac attendit que l'Égyptien, qui hésita un moment car il ignorait où le jeune homme voulait en venir, fit « oui » de la tête

– Au début, j'étais agacé par leurs bavardages au sujet de mes parents, poursuivit Isaac. En plus, j'étais navré de constater qu'ils en savaient beaucoup plus que moi sur la question. Mais plus tard, j'ai compris que leurs propos n'avaient rien d'irrespectueux, tout au moins dans leur esprit… Mais ce n'est pas cela que je veux dire. Ce que je veux dire, c'est que leurs remarques, leurs quolibets m'ont fait comprendre que mon père n'avait jamais pu satisfaire ma mère. Encore que… Selon certains, ma mère n'a jamais éprouvé de désir… Dis-moi, Omaan, quelle est la vérité ? Tu es égyptien et tu t'y connais…

– Chose étrange : chaque peuple pense que ses voisins

ou les esclaves venus de loin en savent plus sur ces choses-là que lui-même, que leur désir est plus ardent et qu'ils savent mieux contenter leurs partenaires. Pour les riverains du Nil, les Hébreux nomades sont d'irrésistibles séducteurs qui représentent pour leurs filles un danger permanent. Or, à vos yeux, c'est nous qui sommes passés maîtres dans l'art d'aimer. Pourquoi toutes ces fausses croyances ? Je n'en sais rien. Seule ton angoisse me fait m'interroger à ce sujet… Verse-moi encore un peu de cet excellent vin. Bois-en également une gorgée. Adoucissons nos cœurs avant de poursuivre cette conversation… Sans doute n'ai-je jamais éprouvé de telles inquiétudes, du fait que nous avons Hathor, flanquée, sur l'autel de l'amour et de la fécondité, d'autres déesses et de serviteurs dévoués, alors que le Dieu unique de ton père est occupé à des tâches bien plus nobles, telles que la création ou la destruction d'univers entiers…

L'Égyptien était-il rendu loquace par le vin, pour laisser échapper un tel sarcasme ? Il se reprit aussitôt et continua sur un ton plus conforme à sa réputation de sage.

– À bien les considérer, certains récits sur Adam, sur Ève, sur leurs enfants, certaines légendes sur les raisons de leur expulsion du Paradis, ne manquent pas d'enseignement. En se penchant sur le mystère de la création, on comprend pourquoi les rapports entre hommes et femmes, le désir et la satisfaction, tiennent une telle place parmi nos préoccupations. De toute évidence, ces questions te tourmentent, mon cher Isaac. Examinons-les à la lumière de nos connaissances et demandons-nous ce qu'elles peuvent nous apprendre. Dans ce monde, tel qu'il a été créé, l'animal, pour perpétuer son espèce, doit s'accoupler. Nous ne constituons pas une exception à cet égard. Par ailleurs, notre espèce est la seule dont le désir n'est pas lié à certaines périodes de l'année, que ce soit la crue ou la décrue du Nil, ou encore la saison sèche, ou la saison des pluies. En fait, nous sommes différents des autres espèces animales sur au moins deux points. D'une part, donc, chez nous, le désir est présent toute l'année. Disons plutôt que le désir, pour ceux d'entre nous qui l'éprouvent vraiment, est indépendant des changements de saisons, et qu'il ne se concentre pas, comme chez les animaux, sur une durée de quelques semaines. Aussi, n'est-il pas aussi irrépressible chez nous que chez les autres espèces… Et, à ton avis, quelle est l'autre différence qui nous sépare d'elles ?

– Je ne le sais pas. Dis-le-moi, je t'en prie, ô sage Omaan !

– C'est que nous sommes capables de parler de cet acte que les autres animaux accomplissent sans réfléchir, sans se poser de questions à son sujet. Nous savons nous vanter et nous plaindre. En écoutant certains récits, nous craignons de ne pas « être à la hauteur », de ne pas pouvoir égaler les performances dont d'autres, à les entendre, seraient capables.

– Tu parles bien, Omaan. En effet, nos parents ont une façon singulière de traiter des rapports entre hommes et femmes. Dans mon enfance, mon père me disait souvent : « Dieu nous a donné la parole afin que nous transmettions à nos enfants tout ce que nous avons appris de nos parents et au cours de notre propre vie. » Ou bien : « Dieu nous a donné la parole afin que chaque génération puisse profiter des expériences de celle qui l'a précédée et éviter ses erreurs. » Mon père me tenait ces propos notamment lors de nos séances de chasse, en m'enseignant l'art de suivre le gibier à la trace, ou de lui tendre un piège. Ou encore dans les champs, en me montrant la différence entre les baies comestibles et toxiques. Il m'a donc appris un tas de choses, mais jamais ne m'a parlé de ce qui se passe entre un homme et une femme. Était-ce parce qu'il estimait en savoir trop peu ? J'en viens à ce que je voulais te demander : y a-t-il une part de vérité dans les rumeurs qui circulent à son sujet ? Est-il vrai que pendant une grande partie de sa vie, mon père n'a pas eu de semence ? Qu'il était incapable de satisfaire ma mère ? Que ma mère ne connaissait pas le désir ? Un jour, tu m'as affirmé que j'étais bien né de la semence de mon père, ainsi qu'Ismaël. Mon père n'a donc pas été stérile toute sa vie ! Par ailleurs, chaque fois que la brebis s'accouple avec le bélier, il est certain que vient le temps où elle met bas un agneau. Cependant, c'est en vain que mes parents ont prié Dieu pendant de longues années et lui ont présenté d'innombrables sacrifices. Si je suis issu de la semence de mon père, ne risquerai-je pas de connaître les mêmes difficultés avec Rébecca ?

– Je vois, mon cher Isaac, que ton angoisse est profondément enracinée dans ton âme. Dans mon peuple, ce sont les frères et les sœurs des parents qui se chargent d'initier les jeunes aux mystères et aux rites liés à la croissance et j'estime que je suis pour toi comme l'aîné de ta famille. Adulte à bien des égards, tu es encore un enfant pour certaines choses. Par ailleurs, je t'ai promis au mont Moriyya de te révéler un jour ce qu'à ce moment-là tu étais encore trop jeune pour comprendre. Eh bien, ce jour est arrivé. Verse-moi encore un peu de l'excellent vin de ton père.

C'est avec une politesse quelque peu obséquieuse que le sage Omaan remercia Isaac, sans oublier de faire, comme le veut la coutume, l'éloge de son vin. Il en but plusieurs gorgées avec un plaisir manifeste.

– Avec ce que je viens d'ingurgiter, poursuivit-il sur le ton de la plaisanterie, je ne pourrais pas mettre un frein à ma langue même si je le voulais.

Puis, redevenu grave, il se mit à instruire doctement le futur mari :

– Tu sais, Isaac, ta mère Sara devait être très belle quand ton père l'a épousée. En tout cas, à l'époque où j'ai fait sa connaissance en Égypte, c'était une femme splendide. Les êtres qui se savent beaux croient que leur beauté suffit pour éveiller le désir – et celui des femmes vise essentiellement à susciter celui de l'homme… Me suis-tu, mon cher Isaac ? La chose se complique, car rien ne stimule autant le désir de l'homme que de se savoir désiré par sa femme. Surtout si celle-ci lui révèle la force irrésistible de l'attrait qu'elle éprouve pour lui, d'abord pudiquement, à mots couverts, puis ouvertement, dans toute sa plénitude. Car ne l'oublie pas : la pudeur n'est vertu que si elle couvre un désir puissant. Il ne faut surtout pas la confondre avec la timidité ou la gaucherie qui, au lieu de simplement voiler le désir, l'étouffent. Sara était belle, mais persuadée que sa beauté était capable de séduire n'importe quel homme, elle n'éprouvait pas le besoin de manifester son propre désir. Peut-être le dissimulait-elle même devant son mari : elle aurait souhaité qu'Abraham la convoitât pour sa beauté et non pour répondre à son désir à elle.

— Je commence à comprendre pourquoi on t'appelle sage ! plaisanta Isaac. Ce n'est pas seulement parce que tu comprends les hommes et leurs actes mieux qu'ils ne le font eux-mêmes, mais aussi parce que tu manies le verbe avec la maîtrise d'un chasseur d'élite maniant son arc. La plupart des chasseurs sont capables de tuer, avec leurs flèches, une oie sauvage dans la volée, mais les flèches que sont tes mots en atteignent tout de suite une demi-douzaine ! Je ne suis pas sûr d'avoir compris tout ce que tu viens de me dire sur le désir, ni de pouvoir en tirer les conclusions qui, sans doute, s'imposent, mais je vais y réfléchir. Ce qui ne veut pas dire que tu n'aies pas raison en tout. Je me demande seulement si le désir a joué un rôle aussi important dans la vie de mes parents. Car, selon la rumeur, pour avoir des enfants, mes parents ayant cessé de compter sur leur instinct ne se sont adressés à Dieu qu'après leur retour d'Égypte. Sais-tu, Omaan, ce que m'a dit Hafri, la servante bavarde de ma mère, en apprenant que mon père t'avait confié la mission que tu sais ? Après m'avoir, avec son habituel sourire fielleux, assuré que tu me trouverais certainement la femme qui me convient, elle a poursuivi :

« Écoute, mon jeune maître, le conseil d'une vieille femme qui a beaucoup vécu et beaucoup vu ! Si tu veux que ta semence germe dans la matrice de ta femme, procède avec elle selon la volonté du Créateur. C'est Lui qui nous a créés hommes et femmes, pour notre plus grand plaisir. S'Il avait voulu que pour avoir des enfants nous lui adressions des prières, il aurait fait en sorte que la semence des hommes flotte et se déplace librement dans l'air, comme le pollen des fleurs. »

Voilà ce que m'a dit Hafri. Elle m'a troublé non pas tant par ses paroles, mais par la manière dont elle les a prononcées. Je suis sûr qu'elle faisait allusion aux rumeurs selon lesquelles, au lieu de mener une vie de couple, mes parents suppliaient Dieu de leur donner un enfant. C'est pourquoi je t'ai interrogé sur le désir. Est-il vraiment aussi capricieux qu'on le dit ? S'allume-t-il et s'éteint-il de façon imprévisible ? Et si, à l'instar de mon père, qui après son retour d'Égypte a cessé de désirer ma mère, je n'éprouvais aucun désir pour ma fiancée ? On raconte dans la famille de Hagar que sur l'ordre du pharaon, un des archiprêtres de Hathor aurait maudit le sexe d'Abraham. Cela pourrait-il être vrai ? Réponds-moi, je t'en prie, ô sage Omaan ! Et dis-moi si cette malédiction pourrait s'étendre à moi ? Et si oui, n'aurais-je pas moi aussi besoin d'une Hagar, d'une prêtresse d'Hathor qui puisse en annuler l'effet ? Car on dit que, dans le cas de mon père, ce sont les prêtres au service des dieux de Hagar qui sont arrivés à ce résultat.

– Tu me demandes, cher Isaac, d'aborder un sujet sur lequel je préférerais garder le silence. Tu sais que j'ai été le confident de ta mère, qui n'avait donc pas de secret pour moi. Quant à ton père, Abraham, il n'est pas seulement mon maître à qui je dois obéissance : je crois aussi qu'au cours des années des liens d'amitié se sont tissés entre nous. Pour toutes ces raisons, je n'ai pas le droit de te faire part de leurs confidences.

Omaan se tut. « Isaac, pensa-t-il, comprend qu'il ne saura jamais la vérité sur un sujet qui le tourmente depuis des années. » Cependant, en lisant la profonde déception sur le visage d'Isaac, il se ravisa et s'empressa de le rassurer.

– Heureusement, je n'ai pas à abuser de la confiance ni de l'un ni de l'autre… Je vois que tu veux absolument y voir clair et je crois qu'il me suffit d'évoquer certains faits connus de tous pour dissiper ton angoisse concernant cette fameuse malédiction. Je sais que tu ne peux pas te boucher les oreilles devant certaines rumeurs, mais il n'est pas indifférent de savoir comment tu les perçois. Les affirmations calomnieuses sur nos femmes ou sur nos parents risquent de nous mortifier à tel point que nous décidons de les ignorer ou de les considérer d'emblée comme mensongères. Mais lorsqu'elles persistent, lorsqu'elles te sont rapportées par plusieurs personnes différentes, tu te dis : « Il n'est pas possible que tout le monde mente, il doit y avoir une part de vérité dans ce qu'ils disent. » Autrement dit, malgré la douleur qu'ils te causent, tu commences à ajouter foi à ces racontars. Et plus tu y crois, plus tu te ronges le sang. Mais tu peux aussi les passer au crible de la critique, en relevant, par exemple, certaines contradictions ou en les confrontant à d'autres récits sur les hommes, les dieux ou les malédictions, sur Sara et sur Hagar. En agissant ainsi, tu arriveras à rétablir la vérité par toi-même et comprendras qu'en fin de compte, tout cela ne te concerne pas !

Après avoir prononcé ces derniers mots avec une certaine emphase, Omaan se tut pour attendre la réaction d'Isaac. Mais devant le silence du jeune homme, il poursuivit :

– Dans la langue de ton peuple, o-maan signifie « sage, clairvoyant, maître ». Mais comme tu le sais, dans notre langue à nous, le mot désigne « celui qui voit derrière les choses ». Ce qui n'est pas à confondre avec le devin ou le voyant. L'o-maan, celui qui voit ce qui est derrière, n'a nulle intention de scruter l'avenir, car il sait que celui-ci est incertain, voire variable : en ce moment par exemple, tu as, mon cher Isaac, le choix entre plusieurs avenirs. En effet, si tu persistes à ajouter foi aux malédictions et à tout ce dont tu viens de me parler, si tu les laisses pénétrer dans tes pensées les plus intimes, j'aurai perdu mon temps, car j'aurai eu tort de te ramener ta belle fiancée, Rébecca. En effet, si tu ne chasses pas ces idées de ton cœur, elles finiront par t'imprégner entièrement et par vous empoisonner la vie, à tous les deux.

Puis, regrettant la dureté de ses propos, Omaan chercha à les atténuer :

– Écoute-moi, mon cher Isaac, je vais te dire ma façon de voir les choses et aussi ce qu'elles cachent. Les gens disent que si ton père a cessé de désirer sa femme, c'est à cause de la malédiction du pharaon. Ceux qui parlent de la sorte sont donc au courant de leur histoire et savent qu'à son retour, Sara était encore une belle femme désirable. Si je t'ai parlé si longuement du désir, c'est parce que cette sensation complexe et imprévisible se nourrit d'elle-même, autrement dit, le désir a besoin d'être entretenu. Il est vrai qu'au retour d'Égypte, le souvenir du pharaon envenimait encore les relations entre ton père et ta mère, mais le pharaon n'avait nul besoin de maudire Abraham, lequel en donnant sa femme au pharaon pour assurer leur propre bien-être sur la terre d'Égypte – où, comme tu le sais, Sara était la concubine de ce dernier – avait lui-même appelé la malédiction sur sa tête. Une concubine parmi bien d'autres, sans doute plus belles encore que ta mère. Habituée aux regards concupiscents des hommes, Sara tenait à ce que le pharaon la trouvât désirable, ce qu'elle ne manquait pas de lui faire sentir, afin d'exacerber son désir.

Pensif, Omaan poursuivit sur le ton de la narration :

– Tu sais, Isaac, les occupants de cet énorme palais au bord du Nil savaient tout les uns des autres. Abraham ne pouvait donc pas ignorer le désir de sa femme de vivre auprès du grand pharaon, ni s'empêcher de constater à quel point elle s'était épanouie à son contact. Au palais, la beauté de Sara éclipsa bientôt celle des autres concubines. Mais cela n'aurait pas suffi pour attirer la malédiction du pharaon. Seulement, après son expulsion d'Égypte et son retour sur la terre de Canaan, le couple fit comme si de rien n'était, alors même qu'Abraham, incapable d'effacer de sa mémoire la conduite de Sara, était devenu insensible à sa beauté et ne faisait rien pour supplanter le pharaon dans le cœur de son épouse. Par ailleurs, préoccupé d'agrandir le bétail qu'il avait ramené d'Égypte, l'image du pharaon, dont la générosité était à l'origine de sa richesse, l'obsédait… La voilà, sa fameuse malédiction ! Le pharaon n'avait pas besoin de maudire le sexe d'Abraham, puisque ce dernier avait lui-même appelé la malédiction sur sa tête en ramenant son bétail et ses trésors d'Égypte, avec les souvenirs qui s'y rattachaient, au lieu de passer l'éponge et de commencer une nouvelle vie avec Sara.

– C'est donc pour cela que mon père a pu faire preuve de sa virilité auprès de Hagar, mais non auprès de ma mère ! s'écria Isaac, qui venait d'apercevoir une petite lueur au bout de son interminable tunnel.

Son exclamation était en même temps une question, car il ne comprenait toujours pas comment Hagar avait réussi à conjurer la malédiction. Aussi s'adressa-t-il en ces termes à son ami, le sage Omaan, celui qui voyait « derrière les choses » :

– J'ai entendu dire que la famille de Hagar avait donné à mon père un élixir ou exécuté sur lui quelque rite secret lui permettant de se comporter en homme avec Hagar… Et moi, comment pourrais-je m'approcher de Rébecca si…

– Le rite dont tu parles, mon, cher Isaac, il y a longtemps que tu l'as subi ! s'écria Omaan en riant de bon cœur et comme pour souligner l'importance de ce qu'il allait dire, il leva sa corne à boire vers le jeune homme interloqué.

Interprétant cette consternation comme une invitation à poursuivre son discours, Omaan reprit aussitôt :

– Tu n'en gardes aucun souvenir, puisque tu n'avais que huit jours au moment de ta circoncision, mais je suis sûr que ça a fait jaser… Ton père, déjà centenaire, avait déclaré un jour que lui-même, comme tous les mâles de sa famille et tous les serviteurs de sexe masculin, devait se faire circoncire en signe d'alliance avec son Dieu unique, le Roi des cieux. En ce qui le concernait, il l'avait déjà fait bien avant, mais pour d'autres raisons. Pour te faire comprendre exactement ce qui s'était passé, je dois remonter aux débuts. Tu as entendu dire, je le suppose, qu'à l'époque où son peuple errait de pâturage en pâturage, accomplissant en une saison un trajet plus long qu'il ne le fait maintenant pendant toute une année, ton père avait un tempérament fougueux qui le poussait à coucher avec de très nombreuses femmes et jeunes filles issues des peuples les plus divers et, comme cela arrive souvent, il devait payer très cher son inconduite : son prépuce se couvrit de plaies dont les cicatrices rendirent douloureux les rapports avec sa femme. Arrivé en Égypte, il décida de consulter le meilleur guérisseur du pharaon, et cette démarche faillit causer leur perte. En effet, sachant que le pharaon et quelques autres hommes de son entourage souffraient du même mal, le docteur accusa Abraham d'être à l'origine du fléau. De fil en aiguille, il apparut que Sara n'était pas seulement la sœur, mais aussi la femme d'Abraham. Cette découverte leur aurait sans doute coûté la vie à tous les deux si Abraham n'avait pas menacé le pharaon (et le peuple égyptien) de la colère du Dieu unique, cruel et vindicatif, qui règne là-haut sur tous les autres dieux. Alors, le pharaon qui craignait les dieux laissa repartir le couple, avec troupeaux et trésors. Comprends-tu, Isaac ? Ce n'est pas la malédiction de notre grand pharaon qui empêcha ton père de se comporter en homme avec son épouse et celui-ci n'avait nul besoin de son annulation pour prouver sa virilité auprès de Hagar.

– Ainsi, s'écria Isaac plein d'espoir, contrairement à ce qu'on raconte, ce n'est pas pour avoir compris qu'Ismaël n'était pas de sa semence que mon père l'a chassé !

– Non, tu peux en être certain. Sara avait fait le nécessaire... Écoute-moi bien : je vois que, pour que tu sois un bon mari pour ta fiancée, je dois te dire exactement comment Sara a mis Hagar dans le lit de ton père.

Il but une gorgée de vin et soupira profondément, les yeux perdus dans le vague et le cœur envahi de souvenirs à la fois doux et amers, car à l'époque il n'avait pas été insensible à la beauté de Hagar :

— Hagar, reprit-il avec dans la voix un tremblement à peine perceptible, était la plus belle des servantes égyptiennes de Sara. Mais si ta mère l'a donnée à son mari, ce n'était pas seulement pour qu'elle enfante à sa place, s'il ne s'était agi que de cela, une fille moins désirable aurait aussi bien fait l'affaire. Non : sachant que l'on attribuait à sa stérilité son incapacité à concevoir, elle espérait pouvoir démontrer aux yeux de tous que la faute était à Abraham. En effet, nous, qui la connaissions d'Égypte, nous savions que le pharaon avait engrossé toutes ses concubines sauf Sara. Si donc ma maîtresse a donné à Abraham la plus belle et la plus dévouée de ses servantes, c'est pour pouvoir dire ensuite : « Vous voyez bien : même avec Hagar, cette femme superbe, désirable et très experte en l'art d'Hathor, Abraham est incapable de se comporter en homme… »

De nouveau, le regard d'Omaan se perdit dans le lointain. Isaac dut attendre quelques instants avant que son interlocuteur reprît le fil de son discours.

— Sara, qui, comme on dit, n'avait pas perdu le Nord, voulut s'assurer qu'Abraham ne tricherait pas en cédant Hagar à un de ses serviteurs qu'il chargerait ensuite de la féconder. C'est pourquoi, avant de la donner à Abraham elle la fit surveiller pendant trois mois, et prolongea sa surveillance au-delà de leur union. Tu peux me croire, mon cher Isaac, car ce fut à moi qu'elle confia cette tâche, pénible entre toutes…

Sa voix s'assourdissant de plus en plus, Omaan semblait monologuer. Pour le tirer de sa rêverie, Isaac lui versa du vin. Ce bruit fit tressaillir l'Égyptien, complètement perdu dans ses pensées.

– Hagar, poursuivit-il enfin, en levant les yeux sur Isaac, n'était pas seulement belle et bien faite, elle avait aussi d'autres cordes à son arc. Chez nous, on enseigne aux filles à cultiver leur sensualité, pour le plus grand plaisir de l'homme dont elles partageront la couche. On leur apprend l'art d'aimer comme on enseigne aux garçons celui de chasser. De même que les adultes prennent les enfants mâles avec eux à la chasse, de même la jeune vierge doit demeurer quelque temps auprès d'une sœur ou d'une tante mariée ou parmi les concubines de son père, afin de se familiariser avec la vie conjugale et d'assister aux accouchements. On dit chez nous que les garçons doivent apprendre à chasser pour tuer le chevreuil qui nourrira la famille et les filles à pratiquer l'art d'aimer pour être sûres que leur mari leur rapporte le gibier. Il faut dire que Hagar se montra particulièrement douée dans ce domaine, si bien que ton père, pour ne pas avoir à la quitter ne serait-ce que quelques heures, renonça provisoirement à la chasse. Mais j'anticipe…

Omaan se tut, puis, le regard toujours braqué sur Isaac, il reprit en pesant chacun de ses mots, de peur d'en dire trop ou pas assez :

– La famille de Hagar connaissait le mal dont souffrait ton père. Beaucoup d'Égyptiens, et notamment les esclaves travaillant sur les terres fertiles autour du Nil, avaient des plaies et des cicatrices semblables aux siennes. Aussi, l'usage de la circoncision se répandit de plus en plus. Abraham dut également y recourir : avant de s'unir à Hagar, il prit une potion destinée à atténuer la douleur et on le débarrassa de son prépuce. Après quoi on lui emmena Hagar, qui le soigna nuit et jour avec toutes sortes de pommades, puis le rejoignit dans son lit dès après sa première lune. Délivré de sa gêne, Abraham retrouva la passion amoureuse de sa jeunesse. Stimulé par la beauté et le désir de Hagar, il frétilla comme un gamin se rendant pour la première fois chez les filles de Canaan. Toutes les nuits, le couple faisait un charivari digne de chats s'accouplant en pleine lune, si bien que, pour ne pas les entendre, leurs voisins furent obligés de reculer leurs tentes. Fort heureusement, le bruit de leurs ébats parvint jusqu'à ma maîtresse : elle comprit alors qu'Abraham n'avait aucun besoin d'être remplacé par un de ses serviteurs. Hagar tomba enceinte et accoucha d'Ismaël sur les genoux de Sara, qui, ayant reconnu que l'enfant était issu de la semence d'Abraham, l'adopta. Sara et Abraham aimaient Ismaël d'un même amour, et Sara le protégeait comme s'il était son propre enfant. Lorsque Ismaël devint un adolescent habile, au visage avenant, Abraham consacra tout son temps à l'initier à la chasse, à la pêche et à l'élevage : il passait la journée avec Ismaël et la nuit avec Hagar. Sara, qui ne désirait plus Abraham, ne s'en plaignait pas. Plus tard, elle changea d'avis et, pour renouer avec son mari, lui apprit la promesse de Dieu de leur accorder un enfant mâle. Tu connais la suite…

L'Égyptien espérait en avoir fini avec ses explications. Cependant, devant le regard interrogateur d'Isaac, il dut poursuivre :

– Je t'ai déjà parlé des trois charlatans qui étaient venus voir tes parents. Sara, qui était déjà vieille, riait à l'idée qu'elle pourrait encore avoir un enfant. Je t'ai tout dit à ce sujet et d'autres t'en ont également rebattu les oreilles. Je pense qu'il est inutile de revenir là-dessus. Crois-moi, tu n'as pas à t'inquiéter : Rébecca ressemble à Hagar et non à Sara. Elle n'usera pas, comme l'a fait ta mère, de sa beauté (dont elle ignore le pouvoir de séduction). Elle ne cherchera pas à dissimuler son désir de vivre dans ta proximité, ni à se faire aimer uniquement à cause de sa beauté. C'est son désir qui allumera le tien afin que tu procèdes avec elle comme ton père l'a fait avec Hagar. Elle ne se contentera pas de t'appeler son seigneur et son maître, mais fera en sorte que tu te sentes tel…

L'Égyptien loua les qualités de Rébecca avec l'enthousiasme d'un bon marchand vantant celles de son chameau. Puis, baissant la voix pour suggérer qu'il partageait les sentiments de son interlocuteur, il se mit à parler lentement, en articulant les syllabes, adoptant le ton du maître s'adressant à l'élève :

– Encore une fois, tu n'as pas à t'inquiéter, mon cher Isaac. Il te faut simplement veiller à ce que Dieu ne s'interpose pas entre toi et ta femme. Mais cela ne dépend que de toi. Ton père t'a promis de te trouver une épouse qui n'entende que par ton entremise les paroles de Dieu. Rébecca, ta promise, répond à son vœu. Il dépend de toi qu'elle garde ses bonnes dispositions après votre mariage ou que, au contraire, elle devienne comme ta mère qui voulait entendre de ses propres oreilles la Voix de son Dieu unique, afin d'exercer sur son mari le même pouvoir que son Dieu. Que Rébecca allaite ses enfants, qu'elle leur apprenne à marcher et à parler, mais si tu veux que la paix règne autour de votre tente, ne lui permets pas de les instruire sur les choses concernant Dieu. C'est à toi qu'il appartient de leur apprendre ce qu'ils doivent savoir de ton Dieu unique. Voilà mon conseil, mon cher Isaac. Et encore une chose : ne laisse pas ton aspiration au pouvoir sur les hommes refouler le désir que tu éprouves pour ta femme.

Omaan se tut et attendit en silence la réponse d'Isaac. Mais celui-ci se contenta de murmurer tout bas :

– Je comprends…

Après cette réponse laconique de son ami, la voix d'Omaan trahissait une légère déception.

– Tu m'as demandé de te parler des rapports entre homme et femmes afin que tu saches à quoi t'en tenir avec Rébecca, ta fiancée, et que tu sois pour elle un meilleur époux que n'a été ton père pour ta mère. Tu sais que tes parents se sont fait beaucoup de mal l'un à l'autre. Si tu t'inquiètes tellement de ton mariage, c'est parce que tu en sais trop sur le leur. Tu crains qu'en te comportant avec Rébecca comme Abraham s'est comporté avec Sara, Rébecca ne devienne aussi cruelle à ton égard que l'a été Sara avec Abraham. J'espère que tu sauras tirer la leçon de ce que je viens de te dire, que je n'ai pas prêché dans le désert, même si je sais à quel point il est difficile de quitter le chemin que ses parents ont suivi. Dis-moi seulement, mon cher Isaac, si j'ai réussi à dissiper ton angoisse ? Crains-tu toujours de ne pas pouvoir satisfaire le désir ta fiancée ? Suis-je parvenu à te convaincre que tu ne manques pas de semence, comme en aurait manqué, selon certaines rumeurs, ton père ? À supprimer les doutes qui rongent ton cœur, à chasser de tes pensées les craintes concernant cette fameuse malédiction, ou ton incapacité à te comporter en homme avec Rébecca ? Dis-moi, Isaac, si j'ai obtenu un seul de ces résultats ?

Isaac comprit le chagrin qu'il avait causé à Omaan en lui répondant simplement et comme en se parlant à lui-même.

– Et comment n'y serais-tu pas parvenu, toi, le sage capable de voir ce qui se cache derrière les choses. Tu m'as parfaitement rassuré. Je sais que tu seras toujours mon ami et que tu me donneras toujours des conseils avisés.

– C'est une fameuse épine que tu viens d'ôter de mon pied, mon cher Isaac ! Car à quoi cela me servirait-il de t'avoir ramené une si belle fiancée, si tu ne savais pas être un bon mari pour elle, si tu ne la désirais pas ou si son désir à elle devait te faire peur ? À présent, je sais que j'ai rempli mon devoir envers ton père. Si ton cœur est soulagé comme l'est le mien, va entretenir ton désir, comme nous entretenons un troupeau dont nous espérons tirer notre richesse ! Va à la rivière et médite sur ce que tu viens d'entendre, tout en surveillant d'un œil le chemin qui mène à nous.

Isaac remercia Omaan pour ses conseils et lui souhaita bonne nuit. Puis, il se rendit aux champs pour méditer à la lueur du soleil couchant. En réfléchissant à la nature du désir, il se sentit peu à peu envahi par le sien. Levant alors la tête, il vit s'approcher une caravane et, sur la selle richement décorée du plus grand des chameaux, une belle jeune fille. Isaac la regarda avec plaisir. Il savait que la jeune fille n'était nulle autre que sa fiancée Rébecca et comprit que son ami, le sage Omaan avait fait le bon choix.

De son côté, Rébecca leva les yeux et vit Isaac. S'adressant à l'un de ses serviteurs, elle lui demanda en chuchotant :

– Quel est cet homme qui traverse les champs pour venir nous saluer ?

– C'est Isaac, mon maître, répondit le serviteur.

Elle prit son voile et s'en couvrit. Isaac vit que sa fiancée était une vierge pudique, pleine de modestie et le désir s'alluma dans son cœur. Il se nomma, conduisit la jeune fille dans sa tente, qui autrefois était celle de sa mère, et dormit avec elle comme l'époux dort avec son épouse. L'union du jeune couple fut célébrée pendant trois jours et trois nuits, dans la joie et dans l'allégresse générale.

On raconte que Rébecca réussit, à cette occasion, à faire sourire Abraham. S'il en est vraiment ainsi, on vit Abraham sourire pour la première fois depuis qu'il avait chassé Hagar et Ismaël.

Chapitre II

Isaac, à quarante ans, prit pour femme Rébecca, fille de Betouël, l'Araméen de la plaine d'Aram, et sœur de Laban, l'Araméen. Isaac implora le Seigneur pour sa femme, car elle était stérile. Le Seigneur eut pitié de lui, sa femme Rébecca devint enceinte.

Genèse 25, 20-21

– Que cette journée t'apporte le bonheur, Rébecca, ma maîtresse !

– À toi aussi, Omaan ! À quoi devons-nous l'honneur de ta visite, après tant d'années ?

– Tu sais, maîtresse, que j'ai passé une grande partie de ma vie au service de Sara et du grand prophète Abraham. C'est avec une immense joie que j'ai rendu quelques menus services à toi et à mon cher ami Isaac, qui – j'étais heureux de le voir – me considérait comme son ami. Mais le temps a passé et j'ai plus de soixante-dix ans, selon notre calendrier qui n'est pas celui des bergers nomades que vous êtes (si toutefois vous avez un calendrier, ajouta-t-il en lui-même). Mon maître, Abraham, homme au très grand cœur, m'a libéré de mon service afin que je puisse retourner en Égypte au bord du Nil, ce grand fleuve, pour y connaître le repos éternel au milieu des miens. Je suis donc venu vous dire adieu, à toi et à Isaac, qui dans mon enfance a été mon élève et qui, o-maan à présent, comme moi, est un ami fidèle et dévoué.

– Nous regrettons ton départ, mais il est certain que tu as bien mérité d'être libéré par Abraham, le père de mon époux, car tu as toujours été pour nous tous un serviteur fidèle. Tu considères Isaac comme ton ami et comme un o-maan, ce qui est pour nous un grand honneur. S'il est vraiment o-maan, c'est à toi qu'il le doit, à toi et à tout ce que tu lui as appris. S'entretenir avec toi lui soulage toujours le coeur.

Rébecca se tut, se demandant si elle devait révéler à Omaan ce qui oppressait son cœur. L'enfant qu'Omaan avait connue dans la maison de Laban était devenue une belle jeune femme au port altier. Cependant, la tristesse de son regard n'échappait pas à l'Égyptien. Bien visible malgré sa longue barbe blanche, le large sourire d'Omaan encourageait Rébecca à poursuivre :

— Je ne peux pas te cacher, Omaan, qu'au cours des trois années écoulées, pendant lesquelles tu ne nous as pas vus, une inquiétude dont, je le crains, je suis la cause, s'est emparée d'Isaac. Dans les premières années de notre mariage, il attendait avec impatience que je lui donne un garçon… À vrai dire, il a toujours espéré que j'aurais au moins deux enfants mâles et, en plus, une ou deux filles. Mais les années ont passé, je suis restée stérile et mon mari me néglige de plus en plus. Voilà plus d'un an qu'il n'a pas partagé ma couche… Je suis heureuse que tu sois venu nous trouver avant ton retour à ta terre natale, car quel que soit le poids qui oppresse le cœur de mon mari, il aura le plus grand besoin de ta sagesse. Je crois que tes chameaux ont également mérité un peu de repos. Je te prie donc de rester ici en attendant que s'atténue la chaleur de la journée…

— Je te remercie de ton invitation, maîtresse. De toute façon, je n'aurais pas quitté la terre de Canaan sans prendre congé d'Isaac. Mes bêtes ont en effet besoin de repos et mes vieux os aussi. Si tu as une tente libre, je te prie de m'y conduire. Ne pas avoir à planter la mienne sous ce soleil accablant me faciliterait la vie.

À vrai dire, Omaan avait souvent à dresser sa tente : il voyageait de plus en plus depuis qu'on le considérait comme le plus sage des conseillers de Canaan. Certains allaient jusqu'à lui attribuer les qualités d'un devin et le disaient capable de prévoir l'avenir, mais il protestait contre de telles allégations. « Je ne peux pas, en consultant les étoiles ou les lignes de votre main, prévoir ce qui vous arrivera ; en revanche, je peux dire quel sera votre sort si vous persistez sur votre chemin. Je ne vous dirai pas ce que vous pouvez attendre de la vie, mais je vous indiquerai ce que vous devez faire pour que vos vœux soient exaucés. »

Le sage Omaan, « celui qui voyait derrière les choses », savait que Rébecca le conduirait dans sa propre tente, Isaac ayant dressé la sienne à l'autre bout du campement. C'est à dessein qu'il était arrivé de bonne heure, désireux d'échanger quelques mots avec Rébecca avant l'arrivée d'Isaac qui s'attardait sur les pâturages. En effet, Abraham lui avait parlé de certaines difficultés entre son fils et Rébecca .

– Je sais que tu as déjà beaucoup fait pour nous, mon sage intendant, mais j'ai une fois de plus besoin de tes lumières, lui avait-il dit. Si, sur le chemin du retour, tu voulais bien t'arrêter chez mon fils, cela me rassurerait, car il règne comme une sorte de malaise entre Isaac et Rébecca.

Voyant le visage d'Omaan s'assombrir, Abraham s'empressa d'ajouter :

– Je ne veux pas dire que tu n'as pas bien choisi ! Rébecca n'est pas, ou tout au moins pas encore, comme l'était Sara. Mais si Isaac continue à agir avec elle comme il l'a fait jusqu'à présent, j'ai bien peur que Rébecca ne devienne comme la mère d'Isaac.

– Qu'est-ce qui te le fait croire, mon maître ? D'ailleurs, même si tu ne me l'avais pas demandé, j'aurais fait un détour chez ton fils, mais ce que tu viens de me dire m'affecte. Veux-tu me faire part de ce que tu as appris à ce sujet ?

– Mes bergers me disent que, sans aucune raison particulière, Isaac demeure avec son troupeau pendant des jours entiers et passe ses nuits dans le désert, comme si sa tente n'était pas un endroit propice à la prière et à la méditation. Or, je sais mieux que quiconque que c'est là un fort mauvais présage…

– Oui, Abraham, je te comprends... On nous prend, nous autres o-maan, pour des voyants ou des diseurs de bonne aventure... Mais quand on connaît le père, il n'est pas difficile de deviner le chemin que prendra le fils. « Cherche les traces du père et tu découvriras bientôt les pieds du fils », dit un dicton de chez nous. Ce qui est vrai, mais il faut dire qu'Isaac a tout fait pour éviter les pièges dans lesquels – pardonne mon audace – tu es tombé.

Omaan se souvenait parfaitement des paroles qu'il avait prononcées lors de cette entrevue, mais ce sont surtout celles d'Abraham qui résonnaient en lui. Sachant qu'il n'aurait jamais plus l'occasion d'échanger avec le prophète, il voulait graver dans son cœur les propos de celui-ci. Tout en écoutant Rébecca parler d'Isaac, il se remémora pour une dernière fois les paroles d'Abraham :

« Et maintenant, mets-toi en route, mon cher ami. Tu me manqueras beaucoup : je n'aurai personne avec qui discuter de ce qui dépasse notre vie quotidienne. Pars, si telle est ton intention, mais je te demande d'aller voir, sur le chemin du retour, mon fils Isaac et de le faire bénéficier d'une partie de ta sagesse. N'est-ce pas avant tout à toi qu'il doit de comprendre, malgré son jeune âge, le monde mieux que moi dans ma vieillesse, malgré les vicissitudes de mon existence au cours de laquelle je me suis si souvent trompé et j'ai si peu appris. Tu connais les pièges qui le guettent s'il suit mon chemin : or, il doit se préoccuper de son propre salut, les yeux rivés sur sa propre étoile. Il n'est pas trop tard : Rébecca est une bonne épouse, mais comment pourrait-elle lui donner des fils s'il passe ses nuits dans le désert ? Et à quoi sa sagesse lui servira-t-elle, s'il n'a pas de fils à qui la transmettre ? Je prierai Dieu pour qu'Il ouvre les oreilles de mon fils afin de recevoir les paroles de ta sagesse ! Va découvrir les raisons de leur mésentente et aide-les à se réconcilier, avant qu'il ne soit trop tard, avant que l'accumulation des malentendus, cet amer poison, ne refoule de leur cœur le miel de l'amour. »

Telles étaient les paroles d'Abraham qu'Omaan se

remémorait en attendant Isaac dans la tente richement ornée de Rébecca.

***

– Es-tu réveillé, mon cher Omaan ? M'entends-tu ? chuchota Isaac.

C'est seulement en voyant l'Égyptien se dresser sur son coude qu'il continua à voix haute :

– Rébecca m'a appris que tu nous faisais l'honneur de ta visite. Je me suis empressé de rentrer, car je suis fier de compter parmi mes amis l'o-maan célèbre sur toute la terre de Canaan.

La voix d'Isaac débordait de bonheur à l'idée de ces retrouvailles avec son vieil ami. Il continua longtemps ainsi, avant de laisser la parole à l'Égyptien :

– Moi aussi, je suis fier de pouvoir te compter parmi mes amis, mon cher Isaac, dit celui-ci. Rébecca t'a-t-elle dit que ton père, si bon et si généreux, m'a libéré ? Je retourne donc sur ma terre natale, mais sur mon chemin, je m'arrête chez toi et y passe une nuit, pour que nous puissions nous parler comme au bon vieux temps... Demain matin, à la première apparition du soleil, je me remets en route. Je dormirai sur la selle de mon fidèle chameau, brave bête suffisamment intelligente pour marcher le dos tourné au soleil dont l'éclat l'aveugle. Même si, vers midi, je me repose à l'ombre, j'atteindrai la Grande Mer en quelques jours.

– Permets-moi de m'y rendre avec toi. Dresser ma tente à côté de la tienne serait pour moi un immense plaisir. Nous y sommes passés avec Rébecca, peu après que, pour mon plus grand bonheur, tu me l'as fait rencontrer. C'est le souffle coupé que nous avons assisté au spectacle du soleil s'abîmant dans l'infini de la mer, avant que la brise apporte un sommeil bienfaisant au désert aride. Te souviens-tu de la voix d'alouette de Rébecca déplorant l'infidélité du ciel qui tout en congédiant, les yeux rougis par les pleurs, un soleil agonisant, attend impatiemment de revêtir son superbe manteau pour accueillir l'une des vingt-huit maîtresses qui se relaient auprès de lui pendant la nuit ? T'en souviens-tu, Omaan ? En cette nuit magique, le ciel attendait la svelte lune en forme de croissant, qui contrairement à sa variante pleine qui fait pâlir les étoiles, n'éprouvait, disait Rébecca, aucune jalousie. T'en souvient-il ? Cette nuit-là, luttant contre les derniers rayons du soleil, l'impatiente arriva trop tôt et disparut peu après, abandonnant à sa solitude la voûte céleste qui, jalouse de la beauté de Rébecca, se revêtit d'une myriade d'étoiles d'une splendeur inouïe. Te souviens-tu, Omaan, de notre conversation sur les merveilles du monde devant l'infinie étendue de cette mer, en attendant que, surgissant des profondeurs de la nuit, un jour nouveau inaugure sa brève vie ?

– Je me souviens de tout. Et aussi des paroles inspirées que vous échangeâtes sur la constance en amour. Te souviens-tu, Isaac, du serment de fidélité éternelle que, mettant vos mains sur les miennes, vous vous prêtâtes en évoquant l'exemple des oiseaux qui passent toute leur vie avec leur unique partenaire ? Cependant, la fidélité à l'autre ne suffit pas pour faire un mariage heureux ; encore faut-il que nous restions fidèles à nous-mêmes. Mais nous parlerons de tout cela demain ! Mettons-nous en route et prenons Rébecca avec nous pour revivre ensemble ces beaux jours à la fois si riches en pensées et si insouciants.

– Ce soir, je ferai préparer un festin digne de cette occasion exceptionnelle. Depuis que tu es tellement sollicité, mon cher Omaan, tu n'as plus beaucoup de temps pour nous. Or, ta présence m'a beaucoup manqué. Ne pouvant profiter de tes sages conseils, j'en suis réduit à méditer dans la solitude sur ce que tu m'as enseigné à propos de nous-mêmes et du monde qui nous entoure.

– C'est précisément au sujet de ces nuits solitaires dans le désert que je voudrais te parler, Isaac ! Va donc donner des ordres à tes serviteurs et reviens vite afin que nous puissions évoquer ensemble le passé, avant que le vin du festin nous monte à la tête et qu'élevant un mur de brouillard entre nous-mêmes et l'avenir il nous fasse oublier tout ce qui nous angoisse.

***

Dès le retour d'Isaac, le sage Omaan entra dans le vif du sujet.

– Je vois, mon cher ami, que quelque chose t'oppresse le cœur. Tu n'es plus un enfant, tu es toi-même o-maan, prophète ou nabi, comme vous appelez parfois les envoyés des dieux. Autant dire que je ne peux plus te parler en maître s'adressant à son élève. Avant ton retour, j'ai – comme tu t'en doutes – échangé quelques propos avec Rébecca. Je le dis sans ambages : un mariage qui a aussi bien débuté que le vôtre est une vraie bénédiction qu'on ne peut pas laisser se détériorer. C'est moi-même qui t'ai appris à méditer, tu sais donc très bien que, pour regarder en toi, tu n'as pas besoin de te retirer dans le désert. Tu devines également que je sais pourquoi tu te montres si distant vis-à-vis de Rébecca. Je te demande donc de tout me dire afin de nous assurer que nous savons la même chose.

– Tu parles bien, Omaan, et tu as bien choisi à l'époque… Isaac ne se souciait guère de mettre de l'ordre dans ses paroles : il était sûr que son sage conseiller suivait sa pensée. Je ne saurais imaginer meilleure épouse que Rébecca… Mais tu as raison : depuis quelque temps, je m'éloigne d'elle. Le jour où tu m'as présenté ma fiancée, tu m'as ôté une fameuse épine du pied en m'expliquant que l'absence de désir de mon père pour ma mère après leur retour d'Égypte n'était pas un effet de la malédiction du pharaon. Quant à moi, je n'ai jamais cessé de désirer Rébecca. Peut-être ton choix a-t-il été trop bon, car je n'ai jamais désiré une autre femme. Un jour, Rébecca m'a

203

proposé sa plus belle servante : « Elle n'est peut-être pas aussi belle que l'était Hagar, mais elle est au moins aussi experte dans les choses importantes », m'a-t-elle dit. J'ai refusé en riant, car Rébecca était pour moi ce que Hagar avait été pour mon père... Seulement voilà : je suis le fils d'Abraham et dans la fleur de son âge, mon père n'a vu germer qu'une seule de ses semences, celle qu'il a plantée dans le giron de Hagar et qui a donné naissance à Ismaël. Bien des années se sont écoulées ensuite avant qu'il m'ait engendré grâce à un miracle accompli par notre Dieu. Si toutefois...

– Et Zimram et ses frères ? N'oublie pas que Quetoura qu'Abraham a prise après la mort de Sara, ma maîtresse, lui a donné de nombreux fils...

– Ceux-ci sont issus d'une seconde vie de mon père ! Ils ne proviennent pas de la semence que son père lui avait transmise. Les fils de Quetoura sont comme les jeunes pousses d'un vieil olivier : les fruits qu'elles donnent ont un goût différent...

– Ne t'inquiète donc pas, Isaac ! L'homme n'est pas comme ces cucurbitacées du désert qui ne fleurissent qu'une fois tous les vingt ans. Semblables en cela aux arbres de la forêt, nous avons d'innombrables semences. Certains de nos pharaons ont fécondé cent fois leurs concubines. Je croyais t'avoir rassuré à ce sujet lors de notre dernière visite...

– Crois-moi, Omaan, j'ai suivi tes conseils. Rébecca et moi ne nous sommes jamais cachés que nous nous désirons et que nous nous aimons. Pendant de longues années, nous avons vécu comme mari et femme, sans que Dieu nous ait accordé un enfant. J'ai dit à Rébecca de prier le Seigneur pour qu'Il bénisse notre mariage. Elle m'a interrogé sur mon Dieu et lui a adressé ses prières. Peu après, elle a entendu sa Voix. Tu m'avais conseillé de garder pour moi ce que me disait le Seigneur, mais j'ai pensé que ma prière ne suffirait pas à elle seule. J'ai donc appris à Rébecca à prier, tout en demandant à Dieu qu'elle entende la même Voix que moi. De cette façon, notre Dieu ne nous a pas dressés l'un contre l'autre. Pourtant, lorsque Rébecca a entendu de ses propres oreilles la promesse de Dieu selon laquelle elle devait bientôt accueillir ma semence, j'ai été saisi d'une certaine angoisse. En effet, si une seule de mes semences devait germer dans la matrice de mon épouse et si elle ne devait me donner qu'un seul fils, il vaudrait mieux que je n'aie aucun enfant. Car comment, dans ces conditions, réaliser le rêve de mon père ? Je lui avais promis d'éduquer un de mes fils à accomplir, par la voie de ses descendants, les horribles visions d'Abraham et l'autre à les dépasser en établissant la paix entre mon peuple et celui d'Ismaël et de tous les peuples. Je sais que de toutes façons la volonté de Dieu sera faite, mais comment me rapprocher en époux de ma Rébecca, sachant que les années ayant passé, elle ne peut me donner qu'un seul fils dont les descendants seront condamnés à combattre éternellement ceux d'Ismaël ?

– Il me semble, Isaac, que tu crois toujours qu'en chassant Ismaël tes parents ont appelé la malédiction sur la tête de tes descendants. Les visions de ton père n'ayant pas indiqué le nombre de générations condamnées à souffrir de cette malédiction, tu espères pouvoir, grâce à un second enfant, raccourcir la période des souffrances. Mais n'oublie pas, mon cher Isaac, que l'idée selon laquelle l'un de tes fils pourrait ramener ses descendants dans le jardin d'Éden n'était qu'un rêve de ton père et que ses visions ne lui ont révélé rien de semblable ! Retourne donc auprès de Rébecca et vivez ensemble comme mari et femme. Même si ton Dieu ne devait bénir qu'une seule fois la matrice de ton épouse, aie confiance en Lui, car Il saurait trouver le moyen de faire la paix entre ton peuple et celui d'Ismaël. Prie pour que, voyant plus loin que ton père, tu comprennes le sens de l'héritage que tu auras légué à tes descendants. En attendant, et puisque tu as permis à Rébecca de communiquer avec ton Dieu, essaie de la surpasser en sagesse et suis-la sur son chemin au lieu de te mettre en travers… Ou, si cela peut vous permettre à tous les deux d'avancer, fais comme si tu avais eu l'initiative de cette quête… Et maintenant, retourne auprès d'elle, sois de nouveau l'époux de ton épouse, ne te tourmente plus au sujet du sort de ton fils. Sois un bon père et pour le reste fais confiance à Dieu.

– Une fois de plus, ta sagesse, mon cher ami, m'a soulagé le cœur. Je te souhaite de voyager en toute sécurité jusqu'à la terre de tes aïeux. Que tes dieux accordent la paix à ton âme le jour où elle partira pour le royaume des morts.

**

Au moment où Rébecca entra pour convier les deux hommes au festin, Omaan partit retrouver ses chameaux. Il revint peu après, muni de deux cruches remplies d'un vin rouge, bouqueté et gouleyant, le vin préféré d'Abraham et que celui-ci lui avait offert pour le voyage. Le jour de la première rencontre d'Isaac avec sa future épouse, Omaan qui cherchait à dissiper l'angoisse du jeune homme lui avait servi le même vin. « Ce jour-là, ce vin nous a rendu service et aujourd'hui nous en avons plus que jamais besoin », se dit l'Égyptien tout en remplissant les cornes à boire de ses convives. Au cours de la soirée, il évoqua habilement le bonheur des premières semaines de leur mariage, y revenant chaque fois qu'Isaac et Rébecca essayaient de détourner la conversation. « Comme il était réconfortant, leur dit-il, de vous voir manifester à la fois le désir que vous éprouviez l'un pour l'autre et le plaisir que vous trouviez à l'assouvir. »

– J'ai promis à Omaan de l'accompagner jusqu'à la Grande Mer. Ne voudrais-tu pas venir avec nous ? demanda Isaac à Rébecca.

À ces paroles, Omaan comprit qu'il avait réussi à accomplir la mission qu'Abraham lui avait confiée. Feignant une extrême fatigue, il bâilla puissamment, à la façon d'un lion digérant sa proie dans la chaleur de midi.

– Excusez-moi, mes enfants, dit-il en se tournant vers ses hôtes, mais le vieillard que je suis doit obéir à l'invitation de la Déesse Nuit et s'abandonner à un sommeil réparateur.

Il fit mine de se lever et de chanceler aussitôt sous l'effet du vin.

– Me permets-tu, Isaac, de passer la nuit sous ta tente ? J'ai envie de savourer le silence qui règne là-bas, au bout du campement. Vous deux, restez et finissez le vin que je vous ai apporté.

Il se dirigea en titubant vers le sentier éclairé par la lune.

– Puis-je vous emprunter vos serviteurs ? demanda-t-il. Vous pourrez sans doute vous passer d'eux. Si ces deux gaillards ne me soutiennent pas, j'ai bien peur de m'étaler sur le sol.

Se cachant d'Isaac, il adressa un sourire à Rébecca.

– Nous nous reverrons lorsque le soleil aura repris sa course au firmament, poursuivit-il. En attendant, je demande à Hathor de vous accorder de beaux rêves.

En disant « Hathor » au lieu de « Déesse de la nuit », Omaan venait de commettre intentionnellement un lapsus. En effet, Hathor était censée veiller non pas au sommeil, mais aux nuits d'amour passionnées.

– Même s'il n'a pas vu le regard que j'ai adressé à sa femme, se dit-il en sortant, je pense qu'en bon élève Isaac a deviné mes intentions. Quoi qu'il en soit, je suis sûr qu'il ne passera pas cette nuit à méditer… Quant à Rébecca, elle paraît avoir rajeuni de dix ans… Est-ce là uniquement l'effet du vin ?

Et dans sa grande satisfaction, l'homme qui « voyait derrière les choses » décida de mander un des serviteurs d'Isaac auprès de son maître Abraham pour lui annoncer qu'il serait bientôt grand-père.

Chapitre III

Rébecca devint enceinte, mais ses fils se heurtaient en son sein et elle s'écria : « S'il en est ainsi, à quoi suis-je bonne ? » Elle alla consulter le Seigneur, qui lui répondit : « Deux nations sont dans ton sein, deux peuples se détacheront de tes entrailles. L'un sera plus fort que l'autre et le grand servira le petit. »

Genèse 25, 22-23

– Réveille-toi, Isaac ! Je ne supporte plus cette affreuse douleur. Ta semence déchire mes entrailles... Je ne supp...

Suffocante, Rébecca dut s'interrompre quelques secondes pour chercher sa respiration.

– Donne-moi ta main ! Sens-tu mon ventre ? Dans la maison de ma mère, où l'on m'a éclairée sur le sort des femmes, j'ai appris ce que nous devons faire pour atténuer les douleurs de l'enfantement. Ma mère me faisait souvent poser la main sur le ventre de ses servantes enceintes de mon père, afin que je me rende compte de leurs souffrances. Mais ce que je ressens en ce moment dépasse l'imagination. Que se produit-il dans mes entrailles ? Dis-le moi, Isaac ! Viens t'agenouiller avec moi devant notre Dieu, baissons la tête et supplions-Le de calmer l'enfant qui s'agite dans ma matrice, avant qu'il ne la déchire définitivement !

Isaac quitta son lit et aida Rébecca à se relever. Puis ils s'agenouillèrent côte à côte sous le ciel étoilé. Rébecca pria en ces termes :

– Nous Te sommes reconnaissants, Seigneur, d'avoir béni mes entrailles afin qu'elles soient fécondées par la semence d'Isaac, ton fidèle serviteur. Mais pourquoi m'infliger une souffrance insupportable ? Comment puis-je continuer à vivre si Tu ne fais pas cesser mes douleurs ?

À force de prier, Rébecca vit sa douleur s'apaiser. Elle regagna sa tente et se rendormit, mais avant le lever du jour, elle réveilla derechef son mari :

– Isaac ! Isaac ! J'ai entendu la Voix du Seigneur céleste ! Il m'a dit : « Deux nations sont dans ton sein, deux peuples se détacheront de tes entrailles. » Comprends-tu, Isaac, le sens de Ses paroles ?

– Alléluia ! Béni soit le Seigneur qui a exaucé les vœux de mon père ! s'écria Isaac.

Il se tourna ensuite vers sa femme pour lui expliquer la divine révélation.

– Le Seigneur vient de nous apprendre que tu portes des jumeaux , deux enfants mâles qui grandiront et dont l'un réalisera la Vision de mon père et l'autre, en apportant la paix à l'humanité, réalisera son rêve.

– Comment pourrait-il apporter la paix, alors que, dès maintenant, mes deux enfants se battent avec un tel acharnement ?

Ce ne fut pas une question, mais un cri de douleur.

Cependant, tout à la joie d'avoir reçu le message divin, Isaac ne perçut pas l'amertume dans la voix de sa femme. Au lieu de chercher à la consoler, il lui exposa les visions que son père le prophète avait eues pendant six nuits et lui répéta les paroles qu'Abraham lui avait adressées sur le mont Moriyya, la nuit où il avait failli le sacrifier.

– Mon père m'a dit : « Je prierai le Seigneur de te donner deux fils issus des entrailles d'une même femme : l'un d'eux réalisera ce que m'ont révélé mes visions et l'autre accomplira ma promesse, en créant, le jour venu, la paix entre ta nation et celle d'Ismaël. Je prierai pour que ton fils élu puisse apporter la paix aux fils de mon fils, qu'il unisse, après Babel, tous les descendants d'Adam notre père archaïque et ramène sur la terre la paix du jardin d'Éden. »

« Ainsi pria mon père Abraham en cette nuit où il était prêt à me sacrifier à son Dieu pour épargner à son fils aîné Ismaël et aux fils de ses fils les souffrances que ses visions lui avaient annoncées. »

Après avoir entendu Isaac répéter les paroles de son père, Rébecca se rendormit, veillée par Isaac qui selon son habitude priait et méditait.

– Je te remercie, Seigneur, dit-il, de m'accorder des jumeaux. Mais comment les distinguerai-je l'un de l'autre, eux qui, issus de la même semence, sortiront sous une même constellation du ventre d'une même femme. La poule saurait-elle faire la différence entre ses œufs ?

Cette nuit-là, Isaac essaya d'interpréter les paroles de Dieu, telles qu'elles avaient été rapportées par Rébecca.

– Peut-être, se dit-il, le Seigneur veut-Il que j'ignore le sort qu'Il réserve à mes fils. Peut-être pense-t-Il que sachant lequel de mes deux fils doit apporter la guerre, je serai tenté de le supprimer, à l'instar de mon père qui était décidé à me sacrifier pour qu'Ismaël et ses descendants puissent connaître la paix.

Prêt à répandre la lumière sur la terre, le jour nouveau surgissait déjà à l'horizon lorsque, mettant un point final à ses méditations, Isaac s'adressa ainsi au Seigneur d'Abraham qui habite les cieux :

– Alléluia ! Que ton nom soit béni, Seigneur, car Tu sais ce que Tu dois nous révéler et ce que Tu dois garder secret. Le jour où Tu m'auras jugé digne d'accueillir tes révélations, aide-moi, je t'en prie, à reconnaître ton signal. En attendant, accorde-moi la patience, fais que je cesse de m'interroger sur ce que je ne suis pas encore en mesure de comprendre.

C'est par ces paroles empreintes d'une grande sagesse qu'Isaac termina sa prière.

Chapitre IV

Quand furent accomplis les temps où elle devait enfanter, des jumeaux se trouvaient en son sein. Le premier qui sortit était roux, tout velu comme une fourrure de bête : on l'appela Ésaü. Son frère sortit ensuite, la main agrippée au talon d'Ésaü : on l'appela Jacob. Isaac avait soixante ans à leur naissance.

Genèse 25, 24-26

– Viens voir, Isaac ! cria une jeune fille en courant vers sa tente. Ta femme Rébecca a accouché dans la souffrance de ton fils aîné. Il est rouge et velu et ressemble à un petit adulte. Et fort avec ça, comme un jeune taureau. Rébecca lui a donné le nom d'Ésaü. Son frère arrive, agrippé au talon de son aîné.

Fort comme un jeune taureau, répéta Isaac. Serait-ce lui que Dieu a choisi pour réaliser les visions d'Abraham ou créer la paix entre les fils de mon père et leurs descendants ? se demanda-t-il, oublieux des sages paroles qu'il venait de prononcer.

Tout en courant vers la cabane des accouchées, il leva les yeux au ciel :

– Seigneur, fais que mon fils aîné qui a ouvert le ventre de Rébecca soit celui qui nous apporte la paix ! Que la bénédiction d'Abraham que je lui transmets s'étende à toute l'espèce humaine ! Fais d'Ésaü le messager de la paix sur la terre !

***

– Ton fils aîné a failli me tuer ! Je l'ai appelé Ésaü, car il est rouge et velu comme un petit singe, dit Rébecca d'une voix plaintive, en mettant dans les bras d'Isaac l'enfant qui cessa aussitôt de hurler. Rébecca, qui avait regagné sa tente, étendit les bras vers la sage-femme qui lui présentait son fils cadet tout emmailloté.

– Donne-moi mon petit trésor ! prononça-t-elle avec une infinie tendresse, puis, se tournant vers Isaac, elle poursuivit :

– Figure-toi qu'il s'est accroché au talon de son frère pour glisser hors de moi, tel un lézard échappant des mains de l'homme. Appelons-le Jacob, c'est-à-dire « celui qui s'agrippe au talon ».

Elle serra Jacob contre sa poitrine.

– Comme ses lèvres sont tendres et comme sa peau est soyeuse ! Merci de nous avoir accordé deux garçons, afin que nous ayons, Isaac et moi, chacun notre source de joie.

Isaac se sentit envahi d'une douce chaleur. Il n'avait encore jamais éprouvé une telle sensation.

– C'est l'amour pour mes fils et pour leur mère, chuchota-t-il.

Frappé par le ton rugueux de Rébecca, il voulut se raccrocher à son bonheur.

« Que lui arrive-t-il ? Est-ce la douleur de l'enfantement qui lui fait éprouver une telle amertume envers son fils aîné ? » se demanda-t-il.

Il fut saisi par un mauvais pressentiment, craignant la mésentente avec son épouse. Sa Rébecca bien-aimée allait-elle devenir comme Sara ?

« Bêtises que tout cela ! se dit-il, en s'efforçant de chasser ces sombres pensées. Tout comme Jacob, Ésaü est le fruit de ses entrailles. Elle les aimera tous les deux. »

Il tendit Ésaü à sa mère afin qu'elle le serre sur sa poitrine. Mais, comme si elle n'avait même pas vu son fils aîné, Rébecca serra encore plus fort Jacob dans ses bras.

Chapitre V

Les garçons grandirent. Ésaü était un chasseur expérimenté qui courait la campagne ; Jacob était un enfant raisonnable qui habitait sous les tentes. Isaac préférait Ésaü, car il appréciait le gibier ; Rébecca préférait Jacob.

Genèse 25, 27-28

Jacob donna à Ésaü du pain et du brouet de lentilles. Il mangea et but, il se leva et partit. Ésaü méprisa son droit d'aînesse.

Genèse 25, 34

– Rébecca, n'as-tu pas vu Jacob ? cria Isaac à sa femme qui venait de quitter sa tente.

– Je ne pense pas qu'il veuille vous accompagner. Il a passé la moitié de la nuit à prier et il n'aime pas la chasse.

« Toujours ces prières ! » grommela Isaac. Et d'ajouter à mi-voix : « A-t-il prié pour que le gibier s'introduise de lui-même dans la marmite ? Ou bien reste-t-il à la maison pour préparer un nouveau brouet de lentilles ? »

Isaac n'avait pu s'empêcher d'évoquer ce plat de lentilles contre lequel Jacob avait acheté son droit d'aînesse à Ésaü. Il pensait que sa femme n'était pas étrangère à ce marché.

– Jusqu'à quand reprocheras-tu à mon Jacob d'avoir été plus malin que son frère ? Ésaü a bradé son droit d'aînesse parce qu'il n'y tenait pas. Et ne penses-tu pas qu'au lieu de vagabonder dans la forêt, Ésaü ferait mieux d'approfondir ses connaissances sur notre Dieu ?

– Ésaü trouvera Dieu dans la forêt avant que Jacob ne le découvre dans ta tente. Nous irons à She-ai et nous y resterons tant qu'il nous plaira, ajouta Isaac furieux, tout en faisant signe à ses compagnons de le suivre.

Dans sa colère, il pensait sérieusement à mettre son projet à exécution. C'est que la chasse s'annonçait extraordinaire. Il ne s'agissait plus d'introduire un peu de variété dans le menu, un peu de gibier parmi les sempiternels agneaux et chèvres. La veille, un de ses hommes avait aperçu à la lisière de la forêt un magnifique cerf à huit bois paradant fièrement devant les biches.

Le lendemain, ils dressèrent leur tente. Isaac dit à Ésaü et à ses serviteurs :

– Tuer ce cerf majestueux constituerait pour nous un véritable exploit. Si le Seigneur veut bien bénir nos arcs, l'un de vous ira chercher du vin et nous ferons rôtir la bête à la broche. Ce serait dommage de la mettre dans la soupe.

Puis, il pria ainsi :

« Seigneur, fais que la flèche d'Ésaü atteigne sous mes yeux ce gibier d'une rare beauté qui a déjà échappé à plus d'un chasseur. »

La prière d'Isaac ne fut pas exaucée. Le lendemain, Chabou, le vieux serviteur d'Abraham, vint le trouver et lui dit :

– Béni soit le nom du Seigneur qui m'a conduit jusqu'à toi. Rébecca m'a dit de te chercher par ici. Ton père, messager et prophète de notre Dieu céleste et chef clairvoyant de notre peuple, m'a chargé d'un message qui afflige mon cœur, mais que je suis bien obligé de te transmettre. Voilà : sentant s'approcher sa dernière heure, Abraham te demande d'être prêt à l'enterrer aux côtés de Sara dans la caverne de Makpéla, au champ d'Ephron qu'il a acquis. Nabi et prophète, messager fidèle du Dieu unique, mon bon maître Abraham est en route vers Makpéla et te demande de l'y rejoindre. Il te charge d'envoyer auprès de ton frère Ismaël cinq de tes hommes avec dix chameaux chargés d'or et de trésors. Qu'ils demandent en ton nom à Ismaël de se mettre en route sans tarder pour Makpéla et de vous y retrouver le plus tôt possible.

– Bien que je sois toujours heureux de te voir, Chabou, le message que tu m'apportes me cause une grande tristesse. Mais es-tu sûr d'avoir bien compris les paroles de mon père ? N'avait-il pas juré à ma mère de ne jamais chercher, de son vivant, à rencontrer son fils aîné Ismaël et de m'empêcher de le faire, aussi longtemps qu'il aurait barre sur moi ?

– Certes, mon maître. Mais ton père, prophète du Dieu unique, est sûr de mourir avant l'arrivée d'Ismaël à Makpéla. De cette façon, il n'aura pas à renier le serment fait à son épouse Sara. Il a souhaité toutefois que ses deux fils, toi, mon seigneur, et Ismaël, soient présents l'un à côté de l'autre au moment où un rocher obstruera l'entrée de la grotte où il doit reposer pour l'éternité.

En entendant ces paroles, Isaac se dit :

« Je sens, père, que ton repos éternel ne te préoccupe pas vraiment. Tu ne vises qu'à rétablir la paix entre Ismaël et moi. »

Puis, se tournant vers Chabou :

– Retourne vite auprès de mon père et dis-lui que nous suivons sa volonté. Il peut mourir tranquille : il a tout fait pour que ses fils et ses petits-fils puissent vivre en paix. Si telle est la volonté de notre Seigneur céleste, il en sera bien ainsi. Dis-lui aussi que dès aujourd'hui je me mets en route pour Makpéla. Je sollicite sa bénédiction afin de la transmettre à notre fils aîné Ésaü. Les descendants d'Ésaü pourront ainsi réaliser le rêve d'Abraham après la sixième nuit de dévastations annoncée par ses visions.

Isaac fit répéter plusieurs fois ce message à Chabou afin que celui-ci le grave dans sa mémoire. Il dit ensuite à Ésaü :

– D'autres chasseurs ont sans doute appris l'existence de ce magnifique cerf et se chargeraient bien de le tuer si tu n'y parvenais pas. Reste donc ici. Demande à notre Seigneur de t'ouvrir les yeux, de te faire apprécier la beauté de ses créatures et de préparer ton esprit à comprendre ses lois. Après quoi, pars humblement, sans la moindre trace d'orgueil, à la recherche de la superbe bête. Si avec l'aide de Dieu, tu réussis à t'en emparer, n'oublie pas de la châtrer et de brûler sa graisse afin de la Lui offrir en holocauste. Ramène sa chair à ta mère, car pendant mon absence, ce sera à toi de prendre soin d'elle, de Jacob et de mes serviteurs. Si notre Dieu prête vie à mon père, je risque de rester toute une année à Makpéla …

Isaac prit congé d'Ésaü et partit avec Chabou, qui chemin faisant lui apprit de nombreux détails sur la « deuxième vie » d'Abraham : c'est ainsi que le grand patriarche désignait son fécond mariage avec Quetoura, mère de sa nombreuse progéniture.

Le soleil était à son zénith lorsqu'ils arrivèrent à la source de Roïm, où en vue du long voyage qui les attendait Chabou fit boire trois fois son chameau. Isaac se rendit aussitôt à son campement, envoya ses serviteurs auprès d'Ismaël, chargea ses chameaux et prit le plus rapide d'entre eux pour se rendre à Makpéla afin d'y trouver son père Abraham et obtenir sa bénédiction avant que le messager terrestre du Dieu unique connaisse le repos éternel.

SIXIÈME PARTIE

Isaac, le patriarche

Voici le nombre des années de la vie d'Abraham : cent soixante-quinze ans. Puis Abraham expira. Il mourut dans une heureuse vieillesse, âgé et comblé. Il fut réuni aux siens. Ses fils Isaac et Ismaël l'ensevelirent dans la caverne de Makpéla, au champ d'Ephron, fils de Ohar, le Hittite, en face de Mamré, au champ qu'Abraham avait acquis des fils de Heth. C'est là qu'on enterra Abraham et sa femme Sara.

Genèse 25, 7-10

– Je suis heureux de te voir, mon père, mais je ne comprends pas pourquoi tu dis que tes jours sont comptés. On me dit que tu es de bonne humeur ! dit Isaac en étreignant son père, assis sur une chaise à porteurs.

– On a raison : en effet, je me réjouis de savoir que je n'en ai plus pour longtemps à traîner ma vieille carcasse. Que tu le croies ou non, je serais incapable d'aller tout seul jusqu'à la tente que voici : il faut quatre hommes pour faire marcher cette malheureuse chaise à porteurs. Il fallait être égyptien pour inventer un engin pareil, semblable à celui du grand pharaon, mais le sien est couvert d'or et d'argent pour éviter qu'une écharde ne vienne blesser son auguste derrière… Non, ce n'est pas mon humeur qui fait des siennes, mais mon cœur. C'est ici que cela me fait très mal, précisa-t-il en mettant la main sur sa poitrine. Il est vrai qu'en ce moment ce cœur est rempli de joie, car mes yeux de vieillard, même s'ils ne perçoivent plus que de vagues contours, peuvent enfin profiter de ta présence. Je sens encore la chaleur du soleil, mais son éclat ne me permet plus de distinguer, même à midi, un chameau qui s'approche d'un autre qui s'éloigne. C'est surtout le matin, à l'idée de me mettre debout, que mon cœur me fait mal. Oui, je me dis tous les matins qu'à mon prochain réveil, je ne serai plus de ce monde. Qu'à cela ne tienne, je n'ai plus l'intention ni de me coucher, ni de me lever…

– Voyons, mon père, tu as besoin de repos ! interrompit Isaac, inquiet.

– Quand il m'arrive de m'assoupir dans cette maudite chaise, le réveil n'éprouve pas trop mon cœur. Mais parlons plutôt de toi. Comment vont Ésaü et Jacob ? Sont-ils toujours aussi différents l'un de l'autre que la lune et le soleil ? Ou plutôt que l'agneau et le lion ?

Abraham rit aux éclats, comme dans sa jeunesse, mais il dut aussitôt porter la main à son cœur.

– Dis-moi tout à leur sujet, mais évite de me faire rire, demanda-t-il lorsqu'il eut repris sa respiration.

– Oui, mon père, ils sont de plus en plus différents l'un de l'autre. Avant mon départ, Ésaü traquait un cerf à huit bois dont bien d'excellents chasseurs voudraient orner leurs tentes. Je ne serais pas étonné de les voir fixés sur la sienne…

– Et Jacob ?

– Il est resté à la maison, dans les jupes de sa mère, comme toujours. Il passe la moitié de ses nuits à prier son Dieu et dort le lendemain jusqu'à midi. Toujours dans les jambes de sa mère et des autres femmes de la maisonnée. Il faut dire que c'est un excellent cuisinier. Son plat de lentilles…

Le mot « lentilles » venait de lui échapper. Isaac avait été ulcéré par cette affaire. Il en avait parlé à tout le monde autour de lui, tout en espérant vainement que son père ne l'apprendrait pas.

– Est-il vrai qu'Ésaü a vendu son droit d'aînesse à Jacob contre un brouet de lentilles ? demanda Abraham à son fils en levant sur lui son regard flou et pourtant toujours impérieux.

– Oui, mon père, il en est bien ainsi. Je ne sais pas ce qui lui a pris…

– Tu ne le sais pas ? Quel o-maan fais-tu ? Mais peu importe de savoir à quoi Ésaü a renoncé pour ce plat de lentilles, demande-toi plutôt ce que Jacob a espéré obtenir par cette manœuvre… Et comment va ton épouse, ma

Rébecca bien-aimée ?

– Elle se porte à merveille, à condition que je les laisse en paix, elle et son Jacob chéri. Ce garçon a déjà vu arriver deux dizaines d'étés sans jamais rapporter à la maison le moindre lièvre ou le moindre volatile. Je n'aurais jamais osé les laisser seuls, si je ne savais pas qu'Ésaü veille à ce qu'ils ne meurent pas de faim pendant que je suis ici. En ce qui concerne Jacob…

– C'est sur Rébecca que je t'ai interrogé mon fils, et non sur Jacob dont tu m'as déjà parlé. Tu aurais dit aux Philistins qu'elle était ta sœur et non ta femme. Mon expérience égyptienne, si chèrement payée, ne t'a donc pas servi ? Ce que j'ai appris au sujet de ta femme et du roi Abimélek correspond-t-il à la vérité ? Ce n'est pas parce que j'ai conclu, il y a bien des années, une Alliance avec lui que…

– Tu me demandes si tout cela est vrai et je te réponds : cela dépend… Qu'as-tu entendu dire exactement ? Les gens racontent tellement de choses… Nous n'avons jamais oublié, Rébecca et moi, ce qui vous était arrivé à toi et à ma mère en Égypte, ni que bien plus tard tu avais dit au roi de Guérar que Sara était ta sœur. C'est ce qui nous a donné l'idée…

– Quelle idée ?

– De faire croire aux Philistins que Rébecca était ma sœur. C'est elle qui y a pensé, mais elle n'a jamais eu l'intention de devenir la concubine du roi. De plus, les Philistins se croient très vertueux… Avant d'arriver sur leur terre, je n'aurais jamais imaginé qu'ils puissent avoir des concubines.

– Dans ce cas, qu'espériez-vous gagner à ce jeu stupide ?

– Nous avions tout à gagner et rien à perdre. Mais laisse-moi te raconter tout…

Isaac s'accroupit sur une pierre à côté de son père.

– Tu sais, père, poursuivit-il, comment les citadins accueillent les bergers nomades de notre espèce quand ils veulent s'établir parmi eux. Ils en ont tué plus d'un en leur tranchant la gorge la nuit…

– Oui, j'en ai entendu parler, interrompit Abraham, visiblement agacé. Puis, le regard perdu, il soupira :

– Nous vivons à une époque dangereuse. Je dois admettre, dans ma vieillesse, que le fait de s'établir quelque part et d'avoir un toit sur sa tête comporte certains avantages. Mais comment vaincre notre bougeotte ? Si Dieu avait voulu que nous passions notre vie au même endroit, il nous aurait donné des racines, comme aux arbres. Or, nous ne sommes ni arbres ni moutons pour vivre entassés les uns sur les autres. Peut-être certains d'entre nous sont-ils enclins à prendre racine et d'autres à imiter les oiseaux, qui pendant la saison des pluies s'envolent vers des contrées plus clémentes. Je ne verrai pas le temps où nomades et sédentaires vivront en paix, mais je te demande à toi, futur père et roi de notre peuple, de ne pas conduire nos troupeaux jusque dans les villes sous prétexte d'emprunter le chemin de nos ancêtres. Nous en reparlerons avant de nous séparer. En attendant, parle-moi de vos tribulations sur la terre des Philistins.

– Nous leur avons fait croire que nous étions frère et sœur et que, sans vouloir nous établir ni construire une maison dans leur ville, nous entendions passer quelques années chez eux, en restant dans nos tentes. Apparemment, ils n'y ont vu aucun inconvénient.

– Mais pourquoi avez-vous voulu y rester, ne serait-ce que quelques années ? demanda Abraham d'une voix affaiblie et pourtant pressante.

– Je pourrais dire que c'est à cause de la sécheresse et de la disette qui nous menaçait. En vérité, nous l'aurions fait même en période de prospérité. Une grande partie de la famille de Rébecca, établie dans ce pays, a appris à tirer du sol bien plus de céréales et de fèves que n'en donne naturellement la terre, fût-ce dans les zones les plus fertiles. Rébecca aime pratiquer le nomadisme et la cueillette. Mais elle était tout aussi tentée par l'agriculture.

D'autant plus que nous plantions le plus souvent nos tentes sur des terres arides et pierreuses où ne poussaient que buissons et mauvaises herbes. Ayant souvent entendu parler de la terre des Philistins, Rébecca était sûre de trouver, dans la région de Gat et d'Ashdod, des champs irrigables où la fève pousserait mieux que sur nos prairies. Et elle avait raison : sur ces terres, il suffit de semer un seul boisseau de froment pour en récolter une vingtaine !

Isaac espérait que son père se contenterait de cette explication, mais Abraham continuait à le fixer d'un regard interrogateur. Il poursuivit donc, d'abord à contrecœur, puis de plus en plus fier et enthousiaste :

– Nous avons réussi : les Philistins ne se souciaient absolument pas de nous, de nos semailles et de nos récoltes. Seulement, ma belle Rébecca attirait le regard du vieux Abimélek. D'abord, nous avons voulu nous cacher, mais les hommes de ce renard au cœur de lièvre étaient derrière tous les buissons. Il ne nous restait plus qu'à nous réfugier dans le jardin de son palais ; c'est sous son nez que nous nous sommes livrés à nos jeux amoureux. En nous voyant, il m'a dit : « C'est sûrement ta femme ! Pourquoi as-tu dit : "C'est ma sœur" ? » Et il a ajouté, plein de suffisance : « Que nous as-tu fait là ? Peu s'en est fallu qu'un homme de ce peuple ne couche avec ta femme et tu nous en aurais rendus coupables ! » Puis, fou furieux, il a convoqué son peuple et lui a donné cet ordre : « Quiconque touchera à cet homme et à cette femme sera puni de mort. »

– Comprends-tu, mon père, ce que nous avons gagné en restant là-bas ?

Isaac voulait entendre la voix de son père, dont les yeux fermés, la bouche entrouverte et la faible respiration l'inquiétaient. Or, le prophète désormais résigné à la mort était attentif à son fils, mais ayant encore beaucoup à dire, épargnait ses forces. Il ouvrit les yeux et sans rien dire jeta sur Isaac un regard interrogateur.

– En prononçant cet interdit, poursuivit Isaac, le roi des Philistins garantissait personnellement notre sécurité. L'année suivante, nous avons fait des semailles près d'Hara, sur les meilleures terres du royaume, et nous avons moissonné au centuple. Nous nous sommes enrichis sans que le vieil Abimélek ait touché à Rébecca.

– Ainsi, tu crois toujours avoir gagné ! Cela aurait pu très mal finir. Tu as risqué bien plus que de voir Rébecca devenir la concubine de ce vieil imbécile ! Quel o-maan fais-tu ? Ne vois-tu donc pas plus loin que le bout du nez de ta femme ?

Revigoré, le prophète poursuivit :

– Rébecca a voulu être pour toi ce que Sara a été pour moi. Tu sais bien, Isaac, que les femmes de Canaan racontent des merveilles sur ta mère. Rébecca a espéré pouvoir accroître ta richesse comme Sara a contribué à augmenter la mienne. Fais très attention, mon fils : il ne faut pas que Rébecca te sépare de tes enfants. N'as-tu rien compris ? Je croyais pourtant que tu avais tiré la leçon de mes erreurs…

Après avoir exprimé son mécontentement, le prophète se radoucit et parla si bas que pour le comprendre Isaac dut se pencher vers ses lèvres.

– Oui, j'espérais que les dissensions dont nous avons tant souffert Sara et moi te serviraient de leçon. J'ai choisi une excellente épouse pour toi avec l'aide du sage Omaan. Comment as-tu permis à Rébecca… de se mettre… en travers de ton chemin ?

Tout en élevant la voix, Abraham parlait de plus en plus difficilement et dut s'interrompre à plusieurs reprises.

– Et comment peux-tu… favoriser l'un de tes fils… aux dépens de l'autre ?

– J'aime mes deux fils et je serais incapable de chasser l'un d'entre eux… Pardonne-moi, je n'ai pas voulu dire cela. Je sais bien que ce jour-là tu as agi selon les souhaits de ta femme et pour obéir à la volonté de Dieu.

Un profond silence suivit les propos irréfléchis d'Isaac. Lorsque Abraham reprit enfin la parole, son fils interloqué crut entendre retentir la voix forte qu'il avait si souvent perçue dans son enfance. Cependant, cette fois son débit était lent et entrecoupé de silences.

– Je n'ai jamais dit, mon fils, que tu avais commis les mêmes fautes que moi. Mais tu es néanmoins fautif… Il faut être aveugle pour ne pas voir que tu préfères Ésaü à son frère, et que de son côté Rébecca a un faible pour Jacob. Mieux vaut, peut-être, chasser un de ses enfants dans le désert que de laisser son conjoint témoigner plus d'affection à l'un qu'à l'autre… Au moins, l'enfant que l'on chasse de la maison commence-t-il une vie nouvelle et cherche-t-il à survivre par ses propres moyens…

Essoufflé, Abraham dut s'arrêter. Il poursuivit ensuite sur le ton d'un père angoissé plutôt que sur celui d'un prophète :

– Peut-être ont-ils raison, ceux qui prétendent que Caïn et Abel ne se sont pas battus pour l'amour de Dieu, mais pour celui de leur mère. Si tout s'est passé comme cela nous est rapporté, on peut dire que leur rivalité était une question de vie ou de mort. Ève étant la seule femme sur la terre, comment Caïn et Abel pouvaient-ils espérer à la fois plaire à leur père et être aimé d'un vrai amour de femme par leur mère ? Comment l'épouse du père pourrait-elle être à la fois mère et maîtresse ? Comment caresser les seins qui vous ont allaité ? Et, après avoir assouvi un tel désir – un don de Dieu ! – pouvaient-ils apaiser la juste colère du père par d'indignes holocaustes ? Et enfin, lequel a subi le châtiment le plus sévère : d'Abel tué par son frère sans peut-être qu'il eût à souffrir, ou de Caïn maudit et condamné à errer sur la terre ?

Ayant ainsi terminé sa méditation, Abraham scruta le visage de son fils. Il n'attendait pas une réponse de sa part, mais cherchait à savoir si Isaac était sensible à ses interrogations. Devinant, dans son regard, une curiosité qui n'avait cessé de croître depuis l'enfance, il tint à le rassurer en ces termes :

– Réfléchis, mon fils, à ce que je viens de te dire. Mais

pour répondre à cette question, ainsi qu'à toutes celles qui te sembleront légitimes, ne te contente jamais de réponses faciles. J'ai vécu cent soixante-quinze ans, mais je n'en sais parfois pas plus que dans ma jeunesse…

Ces propos paralysèrent la langue d'Isaac. Il sentit monter en lui une question qu'il n'avait jamais osé formuler.

« Avec cette histoire d'Adam et d'Ève, mon père veut-il faire allusion à l'amour de Rébecca pour Jacob ? Croit-il que je sois jaloux de cet amour dont elle me prive au profit du plus faible de ses fils ? »

Ce genre de question appelait plusieurs réponses. Tandis qu'Abraham était absorbé dans ses pensées, Isaac chercha à contourner l'obstacle.

« Quelqu'un a dû dire à mon père que je suis trop sévère avec Jacob, se dit-il en lui-même. Je le suis, en effet, non par manque d'affection, mais, au contraire, dans l'espoir de pouvoir en faire un homme véritable. Rébecca ne cesse de me répéter que Jacob est le serviteur de Dieu… Et moi ? Ne le suis-je pas aussi ? L'homme qui craint Dieu n'en est pas moins un homme : il doit travailler pour nourrir sa famille, car de même que le Seigneur n'a pas créé les poissons pour qu'ils volent, Il ne nous a pas créés pour que nous priions constamment. Ce n'est pas aux hommes, mais aux anges du Ciel qu'il appartient de chanter nuit et jour Ses louanges. C'est parce que j'aime Jacob que je veux en faire un homme. »

Mais Isaac savait que son père jugerait ses arguments insuffisants.

« Ce n'est peut-être pas Jacob que tu aimes, dirait-il, mais l'homme que tu voudrais qu'il soit. Sans doute les choses n'étaient-elles pas aussi simples. »

Isaac se promit d'approfondir la question au cours de ses méditations nocturnes. En attendant, il écouta attentivement son père, qui lui dit la voix brisée :

– Je t'ai reproché, mon fils, de suivre mon exemple plutôt que d'écouter mes conseils. Mais peut-être est-ce dans l'ordre des choses : nous sommes tous condamnés à marcher sur les traces de ceux qui nous ont engendrés. De même que le soleil parcourt chaque jour le chemin qu'il a suivi la veille sans pouvoir surgir à l'endroit même où il s'est abîmé dans la mer, de même le fils de l'homme ne peut continuer la voie de son père. Peut-on dire que l'humanité a progressé au cours des générations ? Malgré nos efforts, nous tournons en rond, semblables à ces bœufs qui en Égypte suivent des cercles concentriques pour élever de plus en plus haut des pierres taillées bien plus lourdes qu'eux-mêmes. Ce qui importe le plus, ce n'est peut-être pas le chemin que nous avons parcouru, mais ce que nous laissons derrière nous. En effet, les pierres qui couronnent les bâtiments gardent le souvenir des bœufs qui toute leur vie ont tourné en rond alors que l'homme qui a marché droit sombre dans l'oubli.

Abraham réfléchit longuement, puis se tourna vers son fils :

– Écoute bien mes questions, mon fils, peut-être trouveras-tu les réponses que pour ma part j'ai vainement cherchées. Et si tu n'aboutis toi-même qu'à d'autres questions, transmets-les à tes fils comme je te transmets les miennes… Est-il possible que vienne un jour où la vie nomade ne satisfera plus les fils de tes fils ? Que, semblables à l'ancre des navires, les traditions que j'ai cherché à conserver et à faire respecter toute ma vie nous tirent vers le bas ? Que, semblable au serpent qui pour grandir abandonne sa peau, s'exposant à tous les dangers, notre peuple doive un jour renoncer à ses coutumes ancestrales ? Les jouets de l'enfant n'amusent plus l'adolescent et ennuient l'adulte. Les coutumes qui ont rendu service à notre peuple quand il était encore dans son enfance constitueront-elles un fardeau une fois qu'il aura grandi ? Je te lègue ces questions, à toi d'y apporter des réponses ou de les transmettre à ton tour à tes enfants, enrichies de tes propres questions…

Abraham se pencha vers son fils :

– Dis-moi, le Seigneur t'a-t-il adressé un signe pour te faire comprendre lequel de tes deux fils Il chargerait d'accomplir mes visions, et lequel devrait réaliser mes rêves ?

– Ésaü est le plus fort des deux. Guerrier accompli, il manie l'arc à la perfection. Je pense que c'est lui qui accomplira tes horribles visions et je crains que lui et ses descendants ne deviennent ennemis irréductibles d'Ismaël et de ses enfants. Tout en étant plus faible que son frère, Jacob ne manque pas de bon sens. Ses descendants à lui auront peut-être la sagesse de faire la paix avec ceux d'Ismaël…

– Je t'ai demandé si Dieu t'avait adressé un signe et toi, tu me parles, une fois de plus, de la différence entre tes enfants, dit Abraham furieux. Crois-tu que nous puissions connaître par nous-mêmes les intentions de Dieu ? Tu les connaîtras lorsque Dieu te les aura révélées… Si toutefois, Il le juge bon. En tout cas, je prierai Dieu jusqu'à mon dernier souffle pour qu'Il t'adresse un signe avant ta mort.

À bout de forces, Abraham déclara avec solennité :

– Et maintenant, écoute mes dernières volontés. Va préparer mon mets préféré afin que mon âme, avant de m'abandonner, te donne sa bénédiction. Je prierai pour toi et pour Ismaël, jusqu'à ce que me surprenne le sommeil dont je ne me réveillerai plus. Mon cœur m'avertit que mon âme me quittera bientôt. J'ai appris qu'Ismaël est en route et qu'il sera sans doute ici demain matin. Je prie pour lui, mais mes yeux ne le verront plus. Je ne renie donc pas le serment que j'ai prêté à Sara. Serment ou pas, je ne mérite pas de revoir mon fils aîné : comment pourrais-je bénir celui que j'ai moi-même exilé ? Il a bien reçu tes dons, ainsi que les trésors que je lui ai fait parvenir. Je laisse une partie de mes biens et de mon bétail aux enfants que j'ai eus de Quetoura, la femme de ma seconde vie. Je te lègue tout le reste, y compris mes brebis…

Abraham parlait d'une voix faible, mais avec un débit rapide : il ne voulait pas gaspiller le peu de temps qui lui restait à détailler ses dernières volontés. Pour finir, il dit avec insistance :

– Je souhaite que vous vous saluiez, toi et Ismaël, devant tout le monde, avec cordialité. Je sais que l'amour fraternel n'est pas mort dans votre cœur. Je vous demande de ne pas parler de l'avenir avant d'avoir mis ma dépouille en sûreté. Soyez l'un pour l'autre ce que je n'ai pas pu être pour Ismaël et que je ne pourrai plus être pour toi.

– Malgré la tristesse que me cause ton départ, répondit Isaac, je me réjouis de revoir mon frère bien-aimé. Mais dis-moi, mon père, comment l'aborder après tant d'années de silence et d'amertume ? Les mots que j'ai étouffés dans mon cœur pourront-ils, cette fois, se frayer un chemin ? Et si, au contraire, c'est un flot de paroles qui sort de ma bouche, le roi du silencieux désert le supportera-t-il ? Vais-je retrouver en lui cet Ismaël qui savait me faire rire si fort lors de mes balades dans les prés en fleurs, alors que j'étais juché sur ses épaules et que les papillons virevoltaient ? Certes, je l'embrasserai affectueusement, mais quoi lui dire ? Lors de notre dernière rencontre, il était encore un adolescent et moi un enfant. Si aujourd'hui nous nous croisions par hasard à la source d'Aï pour y étancher notre soif, je le saluerais comme n'importe quel inconnu et lui, visage inexpressif et regard sombre, il m'adresserait un de ses inoubliables sourires. À l'idée que je le reverrai demain, mon cœur déborde de joie, mais qu'allons-nous pouvoir nous dire, n'ayant rien partagé pendant soixante-dix ans ?

– Vous êtes tous les deux issus de ma semence, répondit Abraham avec une certaine fierté, mais vous êtes aussi différents l'un de l'autre que l'étaient vos mères.

En évoquant les deux femmes de sa première vie, Abraham soupira profondément.

– On dit qu'Ismaël est à la fois svelte et imposant, poursuivit-il, et qu'il est rapide comme la gazelle. Toi, Isaac, tu es comme nous tous, bergers hébreux, plutôt fort comme un cerf. Ismaël a la grâce de l'archet. Toi, tu as la puissance. Et je ne parle pas seulement de votre aspect extérieur. Tu as sans doute le sentiment d'être habité par de superbes mélodies, qui faute d'un archet restent enfouies en toi. Il faut que vous vous retrouviez pour vous compléter. Enfants, vous possédiez, réparti entre vous deux, tout ce que j'aurais voulu être.

De nouveau, Abraham soupira profondément. Isaac se taisait, bouleversé.

– Après avoir scellé ma tombe, raconte à Ismaël tout ce qu'il n'a pas pu apprendre dans son exil. Dis-lui exactement ce qui s'est passé, afin de chasser de son cœur les doutes qui ont pu s'y glisser pendant toutes ces années de mutisme. Parle-lui ouvertement : il ne faut pas qu'il puisse subodorer une ruse quelconque dans tes paroles. Souviens-toi des événements survenus au Mont Moriyya et du temps qu'il m'a fallu pour regagner ensuite, avec l'aide du sage Omaan, ton amour et ta confiance. Parle-lui des visions que j'ai eues pendant six nuits consécutives. Dis-lui tout ce que tu as appris par ma bouche et par toi-même, et il fera à son tour le récit de sa vie… Vous pourrez évoquer le passé en présence des autres. Mais, sept jours après avoir fermé ma tombe, retirez-vous ensemble dans le désert et restez-y quarante jours et quarante nuits. Et maintenant, fais bien attention, car voici ce qui est le plus important : vos propos concernant l'avenir doivent rester absolument secrets. N'en parle jamais à personne, sauf à celui de tes deux fils à qui tu auras décidé de transmettre ton savoir. Je demande également à Ismaël de ne rien révéler de la teneur de vos conversations sur l'avenir, à moins que Dieu lui fasse comprendre par un signe que l'un de ses fils possède à la fois la force de l'affronter et la patience d'attendre…

– Mon père, de quelle nature seront, à ton avis, les révélations qui nous seront faites dans le désert et que nous devons garder secrètes ?

– Notre peuple ne voit pas plus loin que le bout de son nez. Ses prières ne visent que la nuit ou la saison qui vient et si Dieu lui montre ce qui l'attend, il Le supplie de changer ses plans. À quoi sert de prévoir l'avenir si l'on n'a pas la force de le supporter ? Or, cette force vous la détenez, aussi bien toi qu'Ismaël. Et les fils que vous aurez élus la détiendront également. Pour élire ton fils, attends le signe de Dieu ! Peu importe que l'un soit fort et l'autre faible, que l'un soit viril et l'autre efféminé…

– Oui père, mais que faire si aucun signe ne me parvient avant ma mort ? Si je n'apprends jamais lequel de mes deux fils est né pour réaliser ton rêve ?

– Si tu n'as aucune certitude en ton cœur, tu feras mieux d'emporter ta sagesse dans la tombe plutôt que de la transmettre à une personne qui pourrait n'y voir qu'une ruse utilisable contre ses ennemis.

– Et qui accomplira ton rêve, mon père ?

– N'aie pas l'outrecuidance de croire que tu es le seul à posséder la sagesse. Si Dieu ne te dit pas auquel de tes deux fils tu dois transmettre ta sagesse, il y aura d'autres Isaac, d'autres Ésaü, d'autres Jacob… Je sais que certains voient un prophète en moi, mais qu'entendent-ils exactement par là ? Selon notre ami, le sage Égyptien, chacun peut en regardant en lui-même découvrir son dieu, mais seul le prophète est capable de révéler le sien à ceux qui n'ont pas partagé son expérience. Peut-être notre Dieu céleste m'a-t-il en effet choisi comme messager, mais soucieux avant tout de mes propres intérêts, ainsi que de la sécurité et de la prospérité de ma tribu, je me suis montré indigne de cette mission. Je me suis contenté d'être le prophète de mon peuple et non de toute l'humanité. C'est seulement maintenant, alors que mon corps n'obéit plus à la volonté de mon âme et que mes yeux ne voient plus ce qui m'entoure, que j'aperçois ce que j'ai cru voir toute ma vie et que je commence à comprendre ce que j'aurais dû faire pour servir mon Dieu. Ton maître, de qui j'ai beaucoup appris, avait raison : je n'ai toujours fait qu'entendre ma propre voix, incapable d'accepter l'idée d'un Dieu aimant d'un même amour toutes ses créatures. Les tribus nomades comme la nôtre ne peuvent pas se passer d'alliés et j'ai dû obtenir pour ma tribu l'Alliance du Dieu unique qui s'était révélé à moi. Alliance qui m'a valu la paix de l'âme jusqu'au jour où Dieu m'a demandé des sacrifices. Aujourd'hui, après tant d'années, la paix règne de nouveau dans mon âme. En effet, à l'aube de ma mort, je peux espérer que mes fils ou leur descendance découvriront l'essence de mon Dieu unique. Ils n'auront pas à conclure d'Alliance avec lui : nous partageons désormais le désir de création. Ils n'auront pas à lui offrir des sacrifices : notre vie quotidienne, celle pour laquelle Il nous a créés tous, suffit à Lui plaire.

Bouleversé, épuisé, Abraham se tut. Sa confession laissa Isaac sans voix. Comprenant la consternation de son fils, le prophète reprit :

– Même si je pouvais renaître, riche du savoir que j'ai acquis et du peu de sagesse que j'en ai tirée, je ne serais pas capable de saisir l'essence du Dieu unique. Peut-être me rapprocherais-je de Lui, peut-être m'en éloignerais-je. Chaque génération voit différemment son ou ses dieux. Si on m'appelle prophète, c'est parce que j'ai été le premier à affirmer que le vrai Dieu est unique. De cette sorte, j'ai peut-être contribué à rendre l'homme plus humain et en même temps à le rapprocher de Dieu, après que l'expulsion du jardin d'Éden nous en eut séparé. Peut-être, à certains moments de ma vie, ai-je été tout près de résoudre cette énigme, mais qu'y aurais-je gagné ? L'humanité avance à petits pas et en vain entrevoyons-nous l'avenir, nous ne saurions hâter son avènement. Mon rêve, le retour au jardin d'Éden, ne s'accomplira que le jour où tous les peuples de la terre auront compris le sens de notre humanité. Nous sommes semblables aux oiseaux migrateurs : nous connaissons notre destination, mais le temps que nous mettons pour y parvenir dépend non de l'imagination ailée de nos chefs, mais de la vitesse avec laquelle avance le plus lent de nos peuples.

– Je ne comprends pas ce que tu dis, mon père ! Toute ma vie, j'ai cru que tu avais trouvé le seul Dieu véritable. J'ai craint que le doute ne s'emparât de moi après ce qui s'était passé sur le Mont de l'Autel. Quel était ce dieu qui en voulait à ma vie ? Et voilà que de ton côté, tu n'es pas sûr que le Dieu d'Adam, de Caïn et de Noé ramène l'humanité au jardin d'Éden ! s'écria Isaac, dont la voix trahissait à la fois l'effroi et l'espérance.

– En arrachant mon peuple à l'univers cruel de mon père Tharé, ce païen assoiffé de pouvoir, et en lui faisant abandonner l'idolâtrie pour le conduire au seuil céleste du Dieu unique, j'ai accompli un acte qui dépassait mes forces. Il t'appartient désormais de continuer sur cette voie, d'apprendre à connaître et à te faire messager de Dieu. Il faut que tu trouves Celui en qui tu peux croire sans le moindre doute, car ce qui nous fait vivre c'est la Foi et non l'objet de celle-ci. Bref, cherche ton Dieu avec tes yeux et non avec les miens.

Abraham se tut. Il paraissait surpris par ses propres paroles et Isaac, persuadé que son père cherchait à imposer aux autres sa propre idée de Dieu, l'était encore plus. Il voulut interroger Abraham, mais celui-ci prit les devants :

– Mes paroles ont dépassé mes intentions, dit-il, mais ce que tu viens d'entendre est la vérité : tu dois trouver toi-même le chemin qui te conduira à ton Dieu. Et maintenant, va faire ce que je t'ai demandé, va préparer mon dernier repas afin que mon âme puisse te bénir et te communiquer ma foi en Dieu. Car la bénédiction ne vient pas de Dieu, mais de la foi qui nous donne la force de nous extraire du marécage du doute. Et quand j'aurai fermé les yeux pour toujours, ne t'abandonne pas au regret de ne plus entendre ma voix, mais médite plutôt mes propos afin qu'ils résonnent et fructifient toujours en toi !

***

Isaac fit exactement ce que lui demandait son père Abraham, l'envoyé de Dieu. Après avoir reçu sa bénédiction, il passa la nuit à méditer. Le lendemain matin, il fit ses adieux à la dépouille du prophète et le cœur rempli de bonheur et d'amour, il courut au-devant de son frère. Ils se saluèrent fraternellement. Devant les autres, ils se contentèrent de parler du passé. Ensuite, ils se retirèrent dans le désert pour y passer quarante jours et quarante nuits. Nul n'a jamais su ce qu'ils s'étaient dit, mais tous ceux qui les connaissaient affirmèrent qu'ils en étaient revenus plus mûrs et plus sages.

Chapitre II

Après la mort d'Abraham, Dieu bénit son fils Isaac. Il habitait à côté du puits Lahaï-Roï.

Genèse 25, 11

– Avez-vous entendu parler de l'extraordinaire sagesse du roi que le Dieu d'Abraham, après avoir congédié son vieux prophète, a accordé aux Hébreux ?

– Isaac a toujours été un homme vertueux et patient, mais depuis son retour de Makpéla, il a encore gagné en sagesse.

– Maintenant qu'Abraham nous a quittés, Isaac, père et prophète de notre peuple, est à l'écoute de Dieu et mène une vie conforme à Sa volonté.

Voilà le genre de propos que l'on pouvait entendre. Certains allaient encore plus loin dans leurs louanges :

– Oyez, mes frères, le miracle accompli par Isaac ! Alors que ma fille menaçait de s'étouffer, il a plongé un doigt dans sa gorge. Aussitôt soulagée, elle a retrouvé sa respiration. Après sa miraculeuse intervention, notre père Isaac est resté avec nous à veiller et à prier jusqu'à ce que la clarté du jour vienne effacer les étoiles de la nuit. En vérité, je vous le dis, Isaac est un vrai nabi !

– Quelle chance tu as, Rébecca, d'avoir pour époux un homme comme Isaac, notre seigneur et prophète !

Il fallait être aveugle pour ne pas voir que le cœur d'Isaac s'était anobli depuis son retour de Makpéla et qu'il avait gagné en bonté et en sagesse. Sans rien en dire à son entourage, Jacob, le plus timide de ses deux fils, exprima ainsi sa reconnaissance envers Dieu :

« Je te remercie, Seigneur, d'avoir dirigé vers moi le

regard de mon père, d'avoir rempli son cœur d'amour pour moi et d'avoir fait en sorte qu'il m'accepte tel que je suis… »

Il pria longuement, sans avouer à son Dieu qu'il avait toujours envié Ésaü pour l'affection que leur père lui témoignait et pour toutes ses qualités dont lui-même était dépourvu. Et parce qu'il jugeait bon que sa mère, à l'instar de son père, aime désormais ses deux fils d'un même amour, il terminait sa prière en ces termes :

« Je te demande, Seigneur, de faire que ma mère éprouve pour Ésaü le même amour que pour moi. Je te promets, Seigneur, de continuer à t'exprimer mon adoration toutes les nuits. Et il ne s'agira pas seulement de me réfugier auprès de toi pour fuir l'envahissante tendresse de ma mère. »

***

Le changement d'attitude d'Isaac vis-à-vis du plus faible de ses fils n'avait pas échappé à Rébecca, qui aimait à exprimer ainsi sa gratitude :

« Je te remercie, Seigneur, d'avoir accordé ta grâce à mon époux pour qu'il accepte mon cher Jacob, sorti de ma matrice en s'accrochant au talon de son frère…

Elle ne pouvait s'empêcher d'évoquer ce détail.

« Et d'avoir éclairé son cœur afin que la faiblesse de Jacob ne heurte plus son orgueil paternel. Puisqu'il ne peut pas voir en lui un enfant mâle, fais qu'il l'aime au moins comme il aimerait sa fille. Fais que, le jour où il lui donnera sa part d'héritage, l'amour l'emporte sur la déception. Tu sais que, de mes deux fils, c'est Jacob qui sera ton serviteur et non Ésaü, qui au lieu de te servir et de s'efforcer de gagner ton approbation se targue de sa virilité auprès de son père.

Dans l'espoir d'être entendue par le Seigneur, Rébecca ajoutait :

« Je te demande instamment, Seigneur, de faire que

l'amour croissant d'Isaac pour Jacob ne diminue en rien l'amour de mon fils pour toi et pour moi. »

Et ce « pour toi », il lui arrivait parfois de l'oublier, mais jamais intentionnellement.

Elle ne priait pas pour l'amour de son époux pour elle-même : elle n'en avait jamais douté. Par ailleurs, il était évident que depuis son retour de Maklépa, l'amour d'Isaac pour toute créature humaine s'était accru et qu'il avait hérité non seulement de la fortune, mais aussi de la sagesse de son père. Isaac était reconnaissant à son Dieu de cette part de sagesse dont il savait bien avoir hérité :

« Merci de ces quarante jours et quarante nuits passés dans le désert avec mon frère Ismaël. Nos cœurs se sont ouverts l'un à l'autre, j'ai appris à scruter le fond des âmes et à vaincre craintes et sentiments hostiles... »

De plus en plus nombreux étaient ceux qui voyaient en leur nouveau chef l'incarnation de la justice, de l'amour et surtout, de la patience. Et aussi nombreux étaient ceux qui, comme Rébecca, mettaient cette patience à l'épreuve. C'est pourquoi, à l'exemple de son père, Isaac consacrait de plus de plus de temps à la prière et à la méditation. Suivant l'enseignement d'Omaan et ayant compris que c'est seulement à travers lui-même qu'il pouvait espérer comprendre le genre humain et son avenir, il s'exerçait à son examen de conscience :

« Je m'adresse à toi, Seigneur, qui as choisi mon père et ma mère, qui connais tout et le devenir de tout. Je te demande de me faire comprendre par un signe lequel de mes deux fils tu as désigné pour accomplir les visions de mon père et lequel tu réserves à la réalisation de son rêve. Je te demande aussi de m'avertir lorsque tu me jugeras prêt à accueillir tes révélations... Et de me donner la force de continuer à aimer d'un même amour mes deux fils, quel que soit le rôle que tu leur destines. Ne me laisse jamais sacrifier l'un des deux, ne serait-ce que par la pensée. Tu hâteras ainsi l'avènement de cet avenir meilleur que ton élu apportera aux hommes.

Parfois, il poursuivait :

« Je sais, Seigneur, que, dans tes projets divins, il y a un temps pour chaque chose. Néanmoins, si je pouvais entrevoir l'avenir qui attend les fils de mes fils après la sixième nuit des terribles visions de mon père, c'est d'un cœur plus léger que je gagnerais le royaume des morts. Permets-moi de monter sur les épaules de mon père afin de voir, ne serait-ce qu'un instant, plus loin que lui. Dis-moi quel est celui de mes fils dont les descendants accompliront le rêve de mon père, afin que je puisse lui transmettre le peu de sagesse dont, grâce à ta bénédiction, j'ai pu bénéficier. »

Après son retour de Makpéla, Isaac pria ainsi pendant de longues années auprès de ses fils jumeaux Ésaü et Jacob et de son épouse bien-aimée, Rébecca.

Chapitre III

Rébecca dit à Jacob son fils : « Voici que j'ai entendu ton père parler à Ésaü ton frère ; il lui disait : "Apporte-moi du gibier et prépare-moi un mets pour que j'en mange. Je te bénirai en présence du Seigneur avant de mourir." Maintenant, mon fils, écoute-moi et fais ce que je t'ordonne : va donc au troupeau, prends-y pour moi deux beaux chevreaux, et j'en préparerai pour ton père un mets comme il l'aime. Tu l'apporteras à ton père, et il mangera pour te bénir avant sa mort. »

Genèse 27, 6-10

– Jacob ! Jacob ! cria Rébecca avec insistance.

Jacob comprit qu'à force d'écouter derrière la tente d'Isaac, sa mère avait enfin réussi à surprendre les paroles que son époux adressait à Ésaü chaque fois qu'il le faisait venir auprès de lui. Elle était pressée de les répéter à Jacob, occupé à brûler de l'encens sur le petit autel dressé à côté de sa couche.

– Viens vite et fais bien attention ! lui dit-elle en le saisissant par le bras. Ton père s'est enfin décidé à transmettre la bénédiction qu'il avait reçue de son père Abraham. Il vient de dire à ton frère : « Prends ton arc et tes flèches, va dans la forêt, rapporte-moi un cerf ou une biche et prépare-moi un mets comme je les aime pour que je te bénisse avant de mourir. »

Sachant qu'il avait compris le motif de son appel pressant, Rébecca regarda longuement son fils préféré. Cependant, celui-ci répondit avec indifférence :

– Dis-moi, mère, en quoi cela me concerne-t-il ?

Jacob était contrarié, non seulement parce que Rébecca l'avait perturbé dans sa prière, mais aussi parce qu'elle le tenait par le bras, comme on le fait avec un petit enfant se penchant sur un puits. Ce n'était pas la première fois que Rébecca exprimait ce souhait de voir Isaac accorder à Jacob, plutôt qu'à Ésaü, la suprême bénédiction paternelle d'Abraham.

– Écoute-moi bien, je vais t'expliquer ce que tu dois

faire, poursuivit Rébecca, sans tenir compte de la réticence de son fils. Va aux champs et apporte-moi les deux plus beaux chevreaux du troupeau. J'en préparerai un mets savoureux, selon le goût de ton père. Tu le lui serviras et il te bénira à la place d'Ésaü.

– Voyons, mère : Ésaü est velu, alors que moi je n'ai pas un poil. Il est vrai que la vue de mon père a beaucoup baissé, mais il voudra toucher ce que ses yeux voilés ne lui permettent plus de voir. Il comprendra alors que c'est moi qui me tiens devant lui et me maudira au lieu de me bénir. Certes, avec la vieillesse, il s'est mis à m'accepter tel que je suis, mais c'est Ésaü qu'il aime comme toi tu peux m'aimer. En découvrant ma tromperie, il me frappera de sa malédiction.

– C'est moi qu'atteindra cette malédiction ! Toi, tu n'as qu'à faire ce que je t'ai dit. Va aux champs et ramène vite deux chevreaux.

Obéissant à l'ordre de sa mère et, au fond, désireux de recevoir la bénédiction d'Abraham, Jacob prit deux chevreaux et les apporta à Rébecca qui les prépara avec du lait et du beurre, selon le goût de son époux. Elle revêtit ensuite Jacob des habits d'Ésaü, recouvrit ses bras de la fourrure des chevreaux et lui remit le mets afin qu'il le serve à son père.

***

– C'est toi, Ésaü ? demanda Isaac en entendant les pas de Jacob.

– Oui, mon père, je suis le fils aîné de ton épouse, affirma Jacob.

– Comment as-tu fait pour tuer si vite le gibier ? demanda Isaac, incrédule.

– Notre Dieu était avec nous, père. Il a mis un troupeau de cerfs sur mon chemin et a béni mon arc. Il m'a suffi d'une seule flèche pour tuer une jeune biche. J'ai agi comme tu me l'avais enseigné.

– C'est en effet Ésaü qui, de mes deux fils, se distingue dans le maniement de l'arc, mais la voix que j'entends est celle de Jacob.

Celui-ci se mit à trembler.

– Approche-toi pour que, en te touchant, je vérifie si tu es vraiment mon fils aîné, Ésaü.

Jacob tremblait de tous ses membres, mais parvint à se maîtriser. Il s'agenouilla devant son père, qui le tâtant dit :

– Les mains sont d'Ésaü, mais la voix est de Jacob. Es-tu bien Ésaü, le fils aîné de Rébecca, issu de ma semence ?

– C'est bien moi, mon père, dit Jacob, cette fois d'une voix grave qui rappelait celle d'Ésaü.

– Alors, donne-moi le mets que tu m'as préparé. Je le mangerai avec plaisir avant que mon âme te donne sa bénédiction.

Jacob s'exécuta, Isaac mangea le mets. Ensuite, Jacob lui versa du vin et Isaac en but. Revigoré par le repas, il dit à son fils :

– Approche, Ésaü et embrasse-moi.

Lorsque Jacob se pencha sur son père pour l'embrasser, Isaac respira l'odeur de la forêt qui émanait des vêtements d'Ésaü et bénit son fils cadet. Ayant reçu la bénédiction paternelle, Jacob quitta la tente d'Isaac.

***

Peu de temps après, Ésaü revint de la forêt, portant sur ses épaules un grand cerf, dont il fit un mets savoureux selon le goût de son père. En le lui servant, il lui dit, joyeux :

– Viens manger, mon père, de cet excellent gibier que j'ai préparé selon ton goût et en suivant tes instructions. Viens en manger, avant de me bénir.

En entendant ces paroles, Isaac fut pris d'une grande frayeur.

– Qui es-tu ? demanda-t-il.

– Ésaü, ton fils aîné.

– Et qui était celui que j'ai béni tout à l'heure, après avoir mangé son mets savoureux ?

– Celui-là ne pouvait être que Jacob, ce fourbe ! s'écria Ésaü, furieux. Il t'a trompé !

Et d'ajouter d'une voix radoucie :

– Bénis-moi aussi, mon père !

– C'est grâce à sa ruse que Jacob, lui qui t'a tenu par le talon, a obtenu ma bénédiction, mais je l'ai béni et il restera béni toute sa vie !

– Et ne pourrais-tu pas me bénir à mon tour, père ? Cédant à ses supplications, j'ai déjà vendu mon droit d'aînesse à Jacob et voilà qu'il me prive de ta bénédiction ! Ne te reste-t-il donc rien pour ton véritable fils aîné ?

En voyant son père secouer tristement la tête, Ésaü laissa éclater sa colère.

– Ta bénédiction ne servira à rien à ce fripon, à ce coquin, à cet hypocrite venu au monde en s'agrippant à mes talons et que j'enverrai dans la tombe dès que je le tiendrai entre mes mains.

– Ne sois pas furieux contre ton frère et empêche ta colère de se tourner contre moi, lui dit Isaac. Certes, je ne peux plus retirer ma bénédiction à Jacob, mais laisse-moi chercher dans mon cœur ce que je pourrai encore t'accorder. Et maintenant, va à la grotte de Kamran au plus profond de la forêt, à l'endroit où un soir nous avons planté ensemble notre tente. Va y passer la nuit à veiller et à jeûner. Ensuite, prends une poignée de baies de cambara pour chacun de nous et reviens ici avant que la chaleur du soleil les ramollisse. Après notre jeûne, nous mangerons ces baies afin d'affiner notre ouïe. En attendant, je veillerai ici en cherchant la bénédiction que je pourrai t'accorder.

– Je te conduis, si tu le veux, mon père, au sommet de la montagne afin que tu sois plus près de Dieu et que tu entendes mieux sa Voix. Mon grand-père Abraham montait souvent sur les hautes cimes pour entendre la Voix de son Seigneur céleste… Et c'est vers le ciel que Jacob lève ses joues rosies pour connaître la volonté de Dieu.

– J'ai fait de même, Ésaü, avant de comprendre que c'est seulement en nous examinant nous-mêmes que nous pouvons connaître notre passé et notre avenir. Contrairement à ce que croient les Égyptiens et les Phéniciens, l'avenir ne dépend pas des constellations. Les étoiles poursuivent leur course au firmament sans se préoccuper de nos affaires. Elles nous guident sur notre chemin, mais c'est en nous-mêmes que nous devons découvrir notre destin.

– Mais s'il en est ainsi, comment la Providence, notre Seigneur céleste qui règne sur les constellations, nous guide-t-elle dans nos actions ? demanda Ésaü angoissé, car il venait de se remémorer le principal enseignement de son grand-père Abraham : « Ne jamais mettre en doute le pouvoir de l'Éternel, le Dieu de tous les dieux. » Notre destinée, comme chacun de nos actes, ne dépend-t-elle pas du caprice de Celui qui habite avec ses anges là-haut, dans le royaume des cieux gardé par les étoiles…

– Nous parlerons de Dieu demain, mon fils ! Maintenant va Lui ouvrir ton cœur et ton esprit, pendant que je médite ici, selon les préceptes de mon ami le sage Omaan… Devrais-je punir Jacob pour m'avoir trompé, ou voir dans sa ruse la volonté de son Dieu unique ? Quand tu seras revenu aux premières lueurs de l'aube, je te dirai en quoi consiste ma bénédiction.

Isaac pressait Ésaü de partir, car il voulait se concentrer sur la voix qui venait de résonner dans son cœur, et dont il avait reconnu les premiers et doux accents. Il écouta les pas d'Ésaü qui s'éloignait et dont il distinguait, malgré ses yeux voilés par la cataracte, la haute et forte silhouette. Ésaü s'arrêta à l'entrée du chemin conduisant à la grotte de Kamran et, comme s'il avait deviné que son père le voyait, se retourna pour lui faire un signe de la main.

Isaac à son tour leva une main pour le saluer. Ayant pour un instant retrouvé les yeux de sa jeunesse, il vit Ésaü se diriger sans arc ni sabre, ni fronde, vers la forêt plongée dans l'obscurité.

C'est ainsi qu'Ésaü affronta cet endroit où, redoutant les chats sauvages et autres fauves, des hommes moins courageux que lui ne se seraient risqués, même en plein jour, sans avoir déjà tendu leur arc.

Isaac savait que ses yeux ne lui donneraient plus jamais à voir la silhouette de son fils aîné. Mais il savait aussi qu'il venait de recevoir un signe de Dieu : c'était Ésaü que l'Éternel avait désigné pour réaliser le rêve d'Abraham. Ce signe était celui dont lui avait parlé son père et que, selon sa dernière volonté, il devait attendre avant de mourir. C'était à ce fils qu'il devait transmettre la sagesse qu'il possédait.

« C'est donc Ésaü », soupira-t-il soulagé. Car, même s'il aimait ses deux fils d'un même amour, c'est à Ésaü qu'il accordait sa confiance.

– Merci à toi, Rébecca, dit-il à voix haute. Il voulait entendre ses propres paroles. Et puis Rébbeca se trouvait-elle peut-être derrière sa tente. Je sais que c'est toi qui as suggéré à Jacob de recourir à la ruse et je t'en suis reconnaissant. Si j'avais donné à Ésaü, notre fils aîné, la bénédiction que j'ai reçue de mon père, poursuivit-il tout bas sans remuer les lèvres, je n'aurais peut-être jamais appris lequel des deux avait été désigné par Dieu pour recevoir une bénédiction autrement plus importante. Merci, Seigneur, de m'avoir montré le fils auquel je dois transmettre le peu de sagesse que j'ai acquise au cours de mon existence tourmentée et pourtant heureuse.

C'est en ces termes qu'Isaac rendit grâce à Dieu, avant de passer la nuit à veiller et à méditer.

SEPTIÈME PARTIE

La vision d'Isaac

Chapitre I

Dieu venant de lui révéler que ce serait bien Ésaü qui réaliserait le rêve d'Abraham, Isaac s'apprêta à dresser le bilan de sa vie. Selon le testament de son père, il devait transmettre sa sagesse et son savoir à son fils. Plongé dans une profonde méditation sur sa difficile tâche, il perdit peu à peu conscience du temps qui passait et de l'endroit où il se trouvait. En revanche, le passé – Adam et Ève, leurs fils, le Déluge, ainsi que tout ce qui lui était arrivé depuis sa naissance et ce qui pourrait advenir après sa mort – lui apparut avec netteté.

Il se revit juché sur les épaules de son frère, s'entendit rire et se demanda :

« Comment ma mère et mon père ont-ils su que le nom de "rieur" me conviendrait si bien ? »

Il se remémora ensuite sa rencontre avec Ismaël dans le désert de Makpéla, après la mort de leur père.

« J'ai juré à mon père de ne révéler à personne la teneur de notre conversation dans le désert, sinon à celui de mes deux fils que j'aurai choisi à cet effet », murmura Isaac dans le silence de la nuit.

À sa grande surprise, il se vit luttant avec son frère. Tous deux étaient nus. En réalité, c'est à une joute verbale qu'ils s'étaient livrés pendant quarante jours et quarante nuits, avant d'admettre qu'aucun d'eux n'était en mesure de l'emporter.

Isaac fut soulagé à l'idée que le combat entrevu par

son père au cours de la première nuit de ses visions était si peu de choses…

En même temps que les propos échangés avec Ismaël, il se remémora ceux, empreints d'une profonde sagesse, que lui avaient adressés Abraham et Omaan. Il chercha en vain à en retrouver la quintessence, afin de la transmettre à son fils.

« Il faut que mes pensées se cristallisent, comme le sel extrait de la mer Morte, se dit-il. L'image de ces salins dans lesquels on laisse tomber un cristal autour duquel le sel se condense en des formes régulières lui était apparue. »

Cherchant un tel cristal dans les tréfonds de son âme, Isaac vit bientôt un rubis grand comme un œuf de caille et scintillant d'une lueur fauve comme la braise que l'on vient d'attiser. En suivant la pierre précieuse dans ses déplacements, il atteignit les régions obscures des visions de son père. Ce qu'il vit au cours de ces longues pérégrinations allait rester gravé dans son cœur.

***

Il ne reconnut pas tout de suite l'autel sur lequel il avait passé, ligoté, la dernière nuit de son enfance. Là où Abraham s'était tenu, le couteau entre les mains, s'élevait maintenant une immense colonne de pierres surmontée d'une échelle dont les derniers degrés se perdaient dans les nuages. Les yeux fixés sur le rubis destiné à lui montrer le chemin, Isaac hésita entre l'autel et la colonne.

« Dois-je me prosterner devant l'autel sur lequel fut sacrifiée mon enfance ? » se demanda-t-il. Cependant, sa curiosité le poussa vers l'échelle dont il entreprit aussitôt l'ascension.

« Si le chemin du retour n'existe pas, je n'aurai pas à revivre l'insoutenable instant où mon père a levé son couteau sur moi, se dit-il. » Au fur et à mesure que les visions d'Abraham se révélaient à ses yeux, la peur, l'amertume et la douleur envahissaient son cœur. Ainsi aperçut-il les puissants dragons de la terre, de la mer et du ciel qui se livraient un combat plus terrifiant encore qu'il ne l'aurait imaginé d'après le récit de son père.

Parmi les visions de la sixième nuit, une scène, vaguement entrevue, le remplit d'horreur.

Après quoi Isaac eut besoin de toutes ses forces pour continuer son chemin. Car ce qu'il avait pris pour un nuage porteur d'une bienfaisante pluie était en réalité la fumée pestilentielle émanant de la chair brûlée. Pétrifié d'horreur, Isaac jeta un regard sur la terre. Une file de plusieurs centaines d'hommes, de femmes et d'enfants serpentait vers l'autel où Isaac avait failli être sacrifié. De toute évidence, ils allaient subir le supplice qui lui avait été épargné.

« Qui sont ces agonisants dont le râle me chavire le cœur tout en laissant le ciel indifférent ? » demanda Isaac. Une partie de son être redescendit sur la terre et se retrouva parmi des inconnus qui lui tournaient le dos. Plus loin, il aperçut le sinistre cortège des hommes, des femmes et des enfants qui se traînait vers les colonnes de fumée.

Leur terreur rappelait à Issac la peur qui l'avait saisi la nuit où il gisait sur cet autel. Ces victimes marchaient-elles sur ses traces ?

« En l'honneur de quels dieux sont-ils sacrifiés ? Ou bien est-ce notre Seigneur qui leur fait expier si cruellement l'interruption d'un sacrifice que mon père était pourtant prêt à accomplir ? »

Se sentant coupable d'avoir survécu, Isaac saisit par l'épaule les hommes qui surveillaient la cérémonie et les retourna vers lui. Abraham, Ésaü ou Jacob se trouveraient-ils parmi eux ?

Consterné, il vit qu'ils n'avaient ni yeux ni visage.

Son cœur fut envahi par la colère, le dégoût et la frayeur. Qu'est-ce qui attend encore l'humanité ? se demanda-t-il. Qu'allait-il voir le septième jour ? À supposer qu'il reste encore quelque chose à voir.

Le murmure des victimes se mua en râles d'agonie. Pour ne pas les entendre, Isaac gagna le sommet de la colonne et s'aperçut que celle-ci était une gigantesque statue d'Abraham.

« Me voici enfin sur les épaules de mon père pour voir plus loin que lui. Peut-être vais-je pouvoir apercevoir le spectacle qui s'est offert à lui le septième jour de ses visions ? Mais aurai-je le courage de regarder la Terre ? Ou les dévastations que j'aurai à contempler seront-elles trop horribles pour mes yeux ? »

Se souvenant de l'ultime avertissement de son père, il reprit courage et abaissa son regard sur la Terre. Tout y paraissait tranquille et paisible.

« Le rêve d'Abraham se serait-il réalisé ? Ou est-ce le royaume des cieux que je vois là ? » se demanda-t-il.

Son regard balaya le ciel, mais n'y découvrit ni Dieu ni anges. Il poussa un soupir de soulagement : celui qui avait exigé sa vie et dont, au fond de lui-même, il cherchait à nier l'existence, n'habitait donc pas là-haut.

« La Voix que mon père entendait ne venait pas d'ici, se dit-il. Le Dieu qu'il redoutait et qu'il m'avait appris à craindre, n'existe pas. Mais où est le Dieu de la Création ? Comment parler à mon fils d'un Créateur qui, dans son infinie bonté, nous a transmis le don de la création, si je ne sais même pas où Il habite ? »

Il contempla longuement ces adultes et ces enfants, absorbés dans leur travail et leurs jeux, heureux et insouciants, dans ce monde qui devait surgir après les souffrances du sixième jour. Leur cœur ne lui paraissait pas lourd, mais plein d'entrain.

Étaient-ce les descendants d'Ésaü, son fils élu, ou étaient-ils issus de la semence d'Ismaël ou de Jacob ? se demanda Isaac. Ils étaient aussi différents les uns des autres que le sont entre eux les habitants de la Mésopotamie et ceux d'Égypte. Certains avaient les traits des hommes qu'Isaac rencontrait tous les jours, d'autres lui faisaient penser à ces peuples dont son père et Omaan lui avaient parlé : ils avaient la peau plus noire que les riverains du Gange ou que le fils de Noé que son père avait maudits pour s'être moqués de lui le jour où, dans son ivresse, il s'était débarrassé de ses vêtements. Ils parlaient tous la même langue et ne montraient aucun signe d'hostilité.

« Après que se sera accomplie la sixième nuit des visions de mon père, le peuple de la terre sera-t-il délivré de la babélienne malédiction et retrouvera-t-il le chemin menant au jardin d'Éden ? »

Cependant, une question vint perturber la joie de son cœur :

« Mais serait-il seulement possible qu'après la sixième nuit, l'humanité parvienne à connaître la paix ? »

Le mot « possible » lui suggéra l'idée suivante :

« Après tout, cette paix que je vois n'est peut-être qu'une hypothèse. Car même si le ciel est aussi vide que les idoles en argile que mon père a brisées, ceux que leur angoisse incite à chercher une Providence céleste l'auront peuplé des produits de leur imagination. »

Isaac revit le royaume des cieux tel qu'il l'avait lui-même imaginé dans son enfance, alors qu'assis sur les genoux de son père, il l'écoutait parler de son Dieu unique et de ses anges d'une merveilleuse beauté. Il s'adressa, comme dans son enfance, au Dieu d'Abraham :

« Dis-moi, Seigneur, que dois-je faire pour que le possible devienne réalité ? Que devons-nous faire pour qu'après avoir infligé de terribles souffrances à d'innombrables générations, Tu nous permettes le retour à l'Éden de la paix ? »

Il utilisait les paroles de son père, mais elles lui paraissaient aussi vides que le ciel.

« Certes, je n'ai pas trouvé Dieu dans le ciel. Mais il n'y a pas que cela. Même si Dieu existait, il n'aurait aucun pouvoir sur la méchanceté des hommes. Une Providence capable d'intervenir dans nos destinées n'aurait jamais assisté, impuissante, à la sixième nuit des Visions. »

Isaac, qui avait maintenant la certitude de ce qu'il avançait, poursuivit ainsi :

« Le Dieu de la destruction qui en veut à notre vie, tout comme la Providence censée nous protéger contre lui, sont issus de notre foi et alimentés par elle. Mais le Créateur existe et a existé avant nous, puisque nous sommes là avec le monde qui nous entoure. Or si ce Créateur est incapable de conjurer la fatalité de notre sort ou s'Il est trop occupé à créer d'autres mondes, pourquoi ne nous fait-Il pas comprendre que nous devons trouver notre bonheur nous-mêmes, au lieu de mettre notre confiance en Lui, et de Le supplier de nous donner notre pain quotidien ? À moins que ce soit là le véritable sens de notre expulsion du Paradis… Peut-être parla-t-il en ces termes à nos ancêtres Adam et Ève ?

"Vous êtes mes seules créatures qui possédez le don de la création. Quittez ce berceau de la Création et créez vous-mêmes votre monde à partir de ce que je vous ai donné et dont je vous confie la responsabilité. Allez-vous-en, occupez-vous les uns des autres et laissez-moi en paix."

« Était-ce là le message qu'Il adressa, en les chassant du Paradis, à un Adam paresseux et à une Ève rongée par l'ennui ? Était-ce là ce qu'Il voulait dire à l'humanité en lui envoyant le Déluge ? Noé n'a-t-il pas lui-même construit sa barque et n'a-t-il pas lui-même veillé à ceux qui se sont sauvés avec lui ? N'est-ce pas notre faute si nous ne voulons pas comprendre les véritables intentions de notre Créateur ? »

Isaac savait bien qu'avant de transmettre sa sagesse à Ésaü son fils élu, il devrait trouver la réponse à toutes ces questions. Aux prises avec ses angoisses, il glissa un regard vers l'autel dont il devinait les contours au pied de la colonne de pierre.

Il aurait bien voulu continuer à se délecter du paisible spectacle du septième jour, mais il savait que pour comprendre comment l'humanité pourrait parvenir à franchir la limite qui sépare le sixième jour du septième, il lui fallait reprendre sa place sur cet autel. Il s'apprêtait donc à redescendre, mais l'échelle avait disparu. Cependant, la statue d'Abraham se rapetissant de plus en plus, Isaac retrouva son père d'autrefois, ce géant de l'enfance de l'humanité, en proie à une terreur ancestrale.

Humble et soumis, il se laissa, comme jadis, ligoter par son père qui le porta sur l'autel. La douleur qui l'envahit fut aussi vive que celle, inoubliable, d'autrefois. S'y mêlait cependant une certaine curiosité, celle du prophète scrutant l'avenir. Il ne craignait plus sa mort : il s'y était préparé avant que Jacob lui eût volé la bénédiction qu'il destinait à Ésaü. Pour la première fois de sa vie, il voulut, de propos délibéré, revivre les derniers instants de son enfance, comprendre ce qui lui était arrivé et ce qui aurait pu advenir.

« Si toutefois il est possible de comprendre un acte aussi cruel, soupira-t-il. Mais si je ne comprends pas, si je ne parviens pas à remonter jusqu'aux racines de la cruauté humaine, comment comprendrais-je l'avenir qui attend mes descendants ? »

Cette fois, en voyant Abraham lever son couteau sur lui pour obéir à son Dieu céleste il ne craignait pas pour sa vie. Isaac, le Veilleur, leva son regard sur le ciel : le Dieu jaloux d'Adam, le Dieu dévastateur de Noé ou le Dieu redouté d'Abraham allait-il, malgré tout, surgir du Néant ?

Chapitre II

Tandis qu'il gisait en esprit sur cet autel, Isaac se sentait déchiré non par le couteau de son père, mais par la cruauté de son Seigneur céleste, dont le sourire semblait presser son prophète d'achever son acte meurtrier. Épouvanté par la soif de sang qu'il croyait lire sur le visage de Dieu, Isaac leva les yeux sur son père. Il lui fallait absolument comprendre le messager dont l'âme se débattait, impuissante, dans les liens de cette Alliance conclue avec le Seigneur.

« Frappe-moi, père ! s'écria Isaac. Frappe-moi ou remets ton couteau entre les mains de ton Dieu, puisqu'il veut ma mort. Donne-lui ton couteau, mais ne me prive pas de ton amour protecteur. Il ne faut pas que ton Dieu se serve de toi pour manifester son pouvoir.

« Le moment décisif est arrivé, se dit-il. C'est maintenant que je saurai si les visions deviendront un jour une réalité.

« Dis à ton Dieu : "Prends-moi la vie si Tu veux, mais Isaac est mon fils et Tu me l'as donné pour que je le protège. Prends-moi tout ce que je possède, mais laisse-moi mon fils !"

« Dis-lui encore : "Il se peut que Tu nous aies créés pour ton amusement, pour être tes jouets, mais nous sommes des êtres pensants et responsables et Tu ne peux plus nous dresser les uns contre les autres." »

Il continua d'une voix suppliante :

« Ce n'est pas entre tes deux fils que tu as à choisir, mais entre l'amour et la haine. Entre la vie et la mort, entre le libre arbitre et la soumission ! Choisis le Créateur qui nous aime et non le Dévastateur qui nous tente et qui veut notre perte ! »

Tout à coup, se rendant compte de la vanité de ses supplications, il reprit le fil de ses méditations, en s'adressant toujours à son père :

« Ce n'est pas seulement ma vie qui était en jeu, mais aussi l'avenir de toute l'humanité. Si tu avais su résister à la mortelle tentation de Dieu, nous aurions peut-être pu échapper à l'avenir que nous prédisent tes Visions. Mais ce que Dieu t'a montré, c'est le sort qui attend ta descendance après que tu as cruellement séparé ceux qui s'aimaient.

« Tu t'interroges sur ce qui adviendra au cas où tes deux fils devaient rester en vie. Mais tu ne t'es jamais demandé si, en résistant à la volonté de Sara (influencée peut-être par Satan) et à l'ordre inique de Dieu, tu ne devrais pas demander pardon à ton fils aîné. Quel serait le sort de l'humanité, si tu admettais Ismaël et les siens au sein de ton peuple ?

« Tu ne t'es pas posé ces questions qui pourtant t'auraient permis de connaître le bonheur après la septième nuit. En n'écoutant qu'une seule voix, sans jamais oser la contester, tu n'as été prophète qu'à moitié, tu t'es arrêté à mi-chemin.

« Tu as accepté que cette Voix, dont tu n'as jamais cherché l'origine, sème la zizanie entre toi et ton père le puissant Tharé, puis entre toi et ta première femme, entre toi et ta concubine bien-aimée, entre toi et ton fils aîné, entre toi et moi, et qu'en te brouillant la vue elle t'empêche de voir clairement passé et avenir… Et pourquoi ?

« Parce que tu craignais Dieu à tel point que l'idée ne t'est même pas venue de résister à la tentation divine – ou diabolique – conclut Isaac avec amertume. Puis, sans chercher à réfréner les pensées qu'il mûrissait depuis de longues années, il continua à adresser à son père le discours qu'il destinait à son fils élu.

« Dieu t'a envoyé ses visions pour qu'en te montrant à la hauteur de ta tâche, tu puisses éviter à l'humanité le sort qui l'attend. Il n'est peut-être pas trop tard pour prouver à Dieu que l'homme, qui couronne la Création, est désormais capable de résister à toutes les tentations.

« Ce que le Créateur attendait de toi, c'est que tu refuses le meurtre. La Voix, si toutefois elle émanait de Dieu, t'offrait l'occasion de faire preuve d'humanité. C'est pourquoi elle t'a ordonné ce long voyage jusqu'au Mont Moriyya où tu aurais pu prouver que tu souhaitais protéger ma vie envers et contre tout, afin que les générations futures (celles de tes Visions) ne puissent pas dire : "C'est au nom de ma foi en Dieu que je lève l'épée meurtrière sur mon frère et si le Seigneur ne souhaite pas sa mort, son ange retiendra mon bras."

« Donne à Dieu la réponse qu'Il attend : "Nous qui portons en nous Ton âme depuis notre naissance afin que nos générations successives comprennent de mieux en mieux Tes projets et grandissent dans Ton amour, nous sommes désormais mûrs pour nous affranchir de ta tutelle et agir librement, comme nous l'entendons."

« Montre au Créateur que nous sommes des hommes », insista Isaac.

Cependant, il comprit aussitôt que son père, désormais disparu, n'en aurait plus jamais la possibilité.

« Combien de générations devront se succéder avant que le Seigneur nous offre à nouveau l'occasion de faire preuve de notre humanité ?

« Je ne suis pas en mesure de faire dire à mon père les phrases qu'il n'a pas prononcées, se dit Isaac, résigné. À présent, sur l'autel de la souffrance, ma supplique ne vise pas à empêcher l'acte que la crainte de Dieu inspira à tort à mon père, mais à prévoir l'interprétation que les hommes à venir donneront de son exemple, et à trouver le chemin qui pourra les ramener au jardin d'Éden une

273

fois qu'ils auront compris qu'ils ont été victimes non du Dieu de la Création, mais du désir de l'Homme de se créer un dieu. Combien d'Ismaël seront chassés, combien d'Isaac seront massacrés au nom de cette même voix, la voix de la tyrannie toujours prompte à soumettre à son joug tous ceux dont elle se méfie ?

« Me voici gisant sur cet autel, ligoté et paralysé par la crainte de Dieu, me demandant comment les hommes utiliseront, pour justifier leurs crimes, l'exemple de leur prophète, le grand Abraham, qui n'a agi que poussé par sa soif du pouvoir et n'a refusé d'agir que paralysé par la crainte de Dieu. Comment nous délivrer de la malédiction que nous avons nous-mêmes appelée sur notre tête en nous combattant les uns les autres au nom des dieux que nous avons inventés. Mon fils élu devra savoir comment nous débarrasser de ces dieux que nos aïeux, assoiffés de pouvoir, ont créés à leur image et qu'Abraham a pétris en un Dieu unique. »

***

Le respect du Veilleur pour la mémoire de son père l'ayant finalement emporté sur son amertume, Isaac arrêta le flot de ses pensées sacrilèges. Il ressentit la douleur qu'il avait éprouvée jadis au contact des branchages couverts d'épines de son bûcher, partageant la souffrance de tous ceux que leur père avait trahis au nom des dieux créés par l'homme.

Chapitre III

Et la nuit descendit sur les yeux d'Isaac.

Recouvrant le monde entier, le passé et l'avenir, elle supprima la douleur et l'effroi d'Isaac. C'était la nuit chaude, paisible et rassurante, inconsciente et insouciante qui enveloppe l'embryon dans le ventre de sa mère. Elle avait effacé le monde des visions et laissa le Veilleur seul sur le Mont Moriyya.

« Cette obscurité adoucit la peine de mon cœur et je ne redoute plus le couteau de mon père, lui qui, soit pour suivre la volonté de son Dieu, soit pour protéger son fils aîné qu'il idolâtrait, a attenté à ma vie. Oui, je ne souffre plus et je m'en réjouis – mais d'où vient cette Rédemption ? En ce dernier jour de mon enfance, on ne m'a pas épargné le spectacle du couteau ni du visage de mon père aux traits défigurés par la peur et par sa haine impuissante.

« Redoutait-il Dieu et sa haine s'est-elle dirigée contre lui-même ? Ou haïssait-il son Dieu et tremblait-il pour sa vie, craignant la vengeance divine ? A-t-il partagé ma terreur ? Ou n'y avait-il plus de place dans son cœur rempli de sa propre souffrance pour accueillir mes tourments ?

« Et cette obscurité… d'où vient-elle ? » se demanda Isaac. Puis, sûr d'avoir trouvé la réponse, il s'écria :

« De la main de mon père, voyons ! Ne m'a-t-il pas bouché les yeux ? »

Chaque fois qu'il cherchait à se représenter la fin de

son enfance, trois images formant un triangle s'imposaient à Isaac : celle du couteau, celle du visage de son père et, tout en haut, la face du Dieu d'Abraham. Mais cette fois, il comprit qu'Abraham et Dieu possédaient le même visage, dédoublé, encadré d'une barbe et d'une longue chevelure blanches, avec des yeux sombres et pénétrants. L'un de ces visages suivait d'un regard attentif ce que l'autre semblait redouter. L'un arborait un sourire malicieux, l'autre grimaçait de douleur.

Après quatre-vingt-dix ans de souffrances, Isaac comprit qu'Abraham, le prophète aux deux visages, possédait aussi deux mains, dont l'une levait le couteau sur son fils glacé d'effroi et l'autre, compatissante et miséricordieuse, lui couvrait les yeux.

« Ce n'est sans doute pas sur mes yeux que mon père posa sa main protectrice, mais sur ma bouche ! En vain m'avait-il demandé de crier, aucun soupir n'avait pu sortir de mes lèvres exsangues pour attirer l'attention de son Dieu sur l'immensité du sacrifice qu'il allait accomplir ! »

C'est ainsi que le Veilleur s'efforçait de comprendre un passé qui, en réalité, n'était jamais advenu.

« Devant son Dieu assoiffé de sang, il avait honte de mon mutisme. Et ce que je vois en ce moment, ce ne sont pas les actes réels de mon père, mais plutôt ce qu'il aurait fait s'il n'avait pas cru que son Dieu trouvait son plaisir à nous voir souffrir et à entendre nos cris d'agonie. »

Ayant ainsi compris le sens de ses Visions, Isaac éprouva de la reconnaissance pour la chaleureuse obscurité qui l'enveloppait.

« Pour la première fois de ma vie, je ne crains pas le Dieu de la vengeance et de la dévastation, qui au lieu de régner sur nous ne fait que servir notre désir de pouvoir. Dieu et Cruauté, Confiance et Épreuve, Création et Destruction sont des concepts qui s'excluent mutuellement et ne peuvent cohabiter en un seul et même Être. Celui qu'Abraham a cherché toute sa vie ne peut être que le Créateur. Mais mon père, chef de sa tribu et roi de son peuple, n'a pu se satisfaire de ce Dieu de l'amour. Sa volonté de puissance avait besoin de s'allier avec le Dieu de la vengeance et de la dévastation. Car dans l'ombre de la crainte de Dieu se cache le pouvoir terrestre. »

Chapitre IV

D'amères paroles accusatrices surgirent dans l'esprit du Veilleur qui, loin de vouloir demander des comptes à son père, cherchait seulement à le comprendre. Se remémorant l'ultime avertissement d'Abraham, il poursuivit sa méditation :

« Abraham pensait que les conflits de plus en plus fréquents opposant tribus nomades et citadins sédentaires représentaient une lourde menace pour son peuple. C'est pourquoi il avait besoin d'un Dieu puissant plutôt que d'un Dieu miséricordieux. Il ne voyait pas Celui qui, n'ayant ni lance ni sabre, ignorait la vengeance et les représailles, alors que la Création procède de l'amour et de la compréhension, et non de la violence et de la volonté de toute puissance.

« Je sais que le Dieu de la Création plane quelque part par ici. »

Isaac sentait sa présence, comme l'enfant perçoit celle de sa mère. Il savait qu'il existait, qu'il n'était pas le fruit de son imagination. Il aurait voulu savoir où habitait le Créateur, mais la main de son père couvrait toujours ses yeux. La seule lueur qui trouait l'obscurité environnante était celle de la flamme indiquant le chemin à suivre. Or, Isaac savait que celle-ci logeait dans le cœur d'Abraham et que le noyau où se cristallisent nos pensées est inaccessible.

« Cette flamme est celle de l'amour et de la compassion qui auraient dû inciter mon père à couvrir mes yeux remplis de terreur. Or, il n'en fit rien. Pourquoi ? Où étaient son angoisse et sa miséricorde ? »

Il était gêné de ne pas trouver le mot juste : cela ne lui arrivait pas souvent.

« La miséricorde, dis-je ? Elle nous enseigne à nous préoccuper les uns des autres : c'est pour cela que nous avons été créés. C'est pour cela que le Seigneur nous a appris à parler. Peut-on concevoir plus grand miracle que de pouvoir demander en quoi nous pouvons aider pour atténuer la souffrance et dissiper la terreur ?

« Et pourquoi le Créateur nous a-t-il doté de mains sinon pour pouvoir les tendre à autrui ou, au moins, couvrir les yeux des êtres apeurés ?

« Sans doute, mon père a-t-il voulu me dissimuler la cruauté du Dieu qu'il s'était imaginé. Il cherchait à surmonter sa crainte de Dieu pour, en me touchant avec tendresse, me faire comprendre ce qu'il n'a jamais osé exprimer par la parole, son dévouement... sa compassion... »

Décidément, le mot juste lui échappait. Ceux qui venaient sur ses lèvres lui paraissaient ternes et insignifiants. Il avait besoin de forger un terme nouveau, bizarre et inconnu, qui n'existât que pour lui, semblable à certains univers qui ne se révèlent qu'à ceux qui les ont créés.

« Passion ? Protection ? "Comprotection" ! » prononça-t-il, et ce mot bizarre, jailli de ses efforts convulsifs, lui parut, précisément parce qu'il n'existait pas, à la fois fort et sublime. Isaac y sentait vibrer la joie que nous procurent le dévouement, la compassion, le fait de souffrir pour autrui.

« Pourquoi ne disposons-nous pas d'un mot capable de traduire le sentiment qui nous unit tous et qui, par là même, exprime l'essence de notre humanité ? » dit-il à la flamme, laquelle, oscillant de plus en plus lumineuse entre passé et avenir, semblait se perdre dans l'intemporalité. Répondant à son appel, Isaac se leva pour quitter l'autel mais, se sentant trop faible pour affronter à nouveau le cruel spectacle des visions, il se scinda en deux parties :

celle douée de la capacité de voir reprit sa place sur l'autel, tandis que l'autre, celle qui aurait dû bénéficier de la protection de la main paternelle, s'engagea sur le chemin indiqué par la flamme. Risquant un œil à travers les doigts d'Abraham, dont la main lui couvrait toujours les yeux, Isaac ne voyait que l'espace éclairé par la flamme.

Ils commencèrent par explorer le passé et virent Noé s'affairant nuit et jour sur sa barque.

« Pauvre vieux Noé, tu n'es qu'un simple d'esprit ! » pensa tristement Isaac.

Il vit ensuite Rakama, fils et messager terrestre du dieu des chamans, écartelé sur un rocher du mont des Aigles.

« Certes, dit Isaac, Rakama périt pour ses frères d'une mort lente et pénible, mais n'était-il pas à la fois fils de l'homme et fils de Dieu ? L'amour et le dévouement dont il fit preuve ne sont pas à la portée de n'importe qui. »

Ensuite, Isaac vit Omaan à la bataille de Merdoran. Son bras droit maniait le sabre et sa main gauche serrait le corps agonisant, fendu en deux, de son meilleur ami et maître, Aïn-Noïhem.

« Oui, dit Isaac, mais les Omaan sont rares : il en naît un toutes les dix générations ! »

La flamme s'éleva et conduisit Isaac jusqu'à l'avenir. Mais cette fois, la main de son père lui dissimula ses Visions, laissant juste entrevoir des étoiles brillantes. Chaque fois qu'Isaac regardait le ciel, il y voyait apparaître une nouvelle étoile. Chacune représentait soit un homme ayant sauvé la vie d'un autre, soit une femme innocente protégeant la vie de ses enfants au prix de la sienne. Même le ciel de la sixième nuit, voilé par la fumée, était parsemé de ces étoiles.

« Ce n'est pas pour autant que le Créateur a implanté en nous le sentiment de la solidarité », se dit Isaac, toujours sceptique.

La flamme éclairait maintenant les visages de mères, malingres ou épanouies, maîtresses ou servantes, tantôt souriantes et heureuses, tantôt angoissées et désespérées. Pour consoler leurs enfants en pleurs, certaines d'entre elles avaient sacrifié jusqu'à la dernière goutte de leur puissance vitale. Sans attendre la fin de leur défilé, Isaac dit à la flamme :

– Bien sûr, l'amour maternel pousse à l'abnégation. Mais ce qui m'intéresse, moi, ce n'est pas ce qui unit entre eux les soldats, les amis ou la mère et l'enfant. C'est l'essence de l'Homme que je veux comprendre, ce qui le distingue de toutes les autres créatures et que j'entends transmettre à mon fils élu. Je cherche le noyau cristallin qui renferme toutes nos intentions et toute notre sagesse.

Tout à coup, Isaac retrouva, inondée de lumière, sa propre vie quotidienne. Il n'avait plus besoin de la main protectrice de son père.

Gagnée, apparemment par une certaine lassitude, la flamme, sans s'attarder sur les images banales de l'existence d'Isaac, préféra éclairer certains lieux, tentes prestigieuses et imposants palaces qu'Isaac ne connaissait que par ouï-dire.

« Édifices, tentes et selles ouvragés sont les fruits de notre créativité, ce don de notre Dieu. Ils n'ont rien à voir avec l'amour, ni avec la compassion et avec la solidarité. »

Comme si elle avait perdu patience, la flamme baissa brusquement.

« Ne me laisse pas seul ! s'écria le Veilleur. Guide-moi, fais-moi connaître LA réponse ! Quel est donc le rapport entre toutes les images que tu m'as montrées ? »

La flamme se dirigea vers une autre scène. Musique et chants retentirent et Isaac revit Hagar au banquet, dansant, à la demande de Sara, avec ses servantes. Sara et Abraham souriaient de bonheur.

« Ainsi, que nous le voulions – et que nous le sachions ou non –, tous nos actes, nos travaux les plus humbles comme nos réalisations les plus prestigieuses, visent à servir nos prochains. Si nous sourions, c'est pour leur faire plaisir ! Notre savoir, nous le partageons avec autrui par la voie de l'enseignement. Servir, rendre heureux, perfectionner ce monde que le Créateur nous a laissé, voilà le sens de toute vie humaine. Et, avant tout, préoccupons-nous les uns des autres !

« Le voilà donc, ce noyau cristallin qui renferme tout, l'âme de notre Créateur qui sommeille en chacun de nous ! Seuls le dévouement et une profonde compassion pourront, après la période pénible de la croissance, après une enfance marquée par la terreur, une adolescence rongée par le doute et une jeunesse dominée par la présomption, nous ramener à l'Éden… Quant à moi, je dois accueillir et conserver la chaleur de cette affectueuse solidarité afin d'en emplir le cœur d'Ésaü, mon fils élu ! »

***

Isaac allait s'abandonner à un sentiment de joyeuse attente, lorsqu'une nouvelle question, aussi angoissante que les précédentes, surgit dans son esprit :

« Ésaü sera-t-il prêt à accepter ce Dieu de l'amour et de la création qui vit en nous ? Ne le trouvera-t-il pas trop faible pour vaincre le Seigneur de la vengeance et de la destruction qui habite l'imagination d'Abraham ?

« En transmettant ma sagesse à Ésaü, je dois veiller à ce que mes paroles soient empreintes d'amour. Il me faut prier le Créateur et aider Ésaü à trouver en lui-même le Dieu de la solidarité humaine. Car s'il est vrai que le Créateur est présent en chacune de Ses créations, c'est seulement en nous-mêmes que nous pouvons le trouver. Dans tous les chats du delta du Nil, les prélats de Bubastis n'ont découvert qu'une parcelle minuscule de l'Être divin. C'est le culte de Bastet, la déesse à la tête féline, qui leur a permis d'accéder à la vraie sagesse. »

***

« Puisse la sagesse ressembler à la pomme du savoir qu'Ève a tendue à Adam ! Cependant, lorsque j'aurai communiqué mon savoir à Ésaü, je devrai éveiller en lui le goût de la méditation afin qu'il soit à même de forger, à partir de ce qu'il aura entendu, sa propre sagesse, celle qui lui permettra de se réconcilier avec Jacob, ce frère fourbe et de conclure une alliance familiale avec mon frère Ismaël que notre père a chassé. Le jour viendra où leurs descendants et tous les peuples de la terre regagneront, main dans la main, l'Éden paisible de la création. »

***

Revenu du monde infini des visions, Isaac entra dans sa tente pour y rédiger, s'inspirant de sa Vision, la Leçon destinée à son fils élu.

HUITIÈME PARTIE

Épilogue

Après avoir béni Jacob et, juché sur les épaules d'Abraham, vu plus loin que ne l'avait fait le grand prophète pendant les nuits de ses Visions, Isaac vécut encore quatre-vingts ans dans la grâce du Créateur. C'est en lui transmettant son savoir qu'il bénit son fils aîné Ésaü. L'idée que sa Leçon conduirait celui-ci à la sagesse le remplit de bonheur. Son fils élu s'allia à Ismaël en épousant sa fille et, après de longues années, pardonna à son frère Jacob qu'il embrassa lorsque celui-ci revint avec ses deux filles, Léa et Rachel, et presque tous les biens de Laban, comme cela est écrit :

Ésaü alla trouver Ismaël et, en plus de ses femmes, il épousa Mahalath fille d'Ismaël, fils d'Abraham, la sœur de Nebayoth.

Genèse 28, 9

Jacob leva les yeux et vit qu'Ésaü arrivait, ayant avec lui quatre cents hommes. Il répartit les enfants entre Léa, Rachel et les deux servantes.

Genèse 33, 1

Ésaü courut à sa rencontre, l'étreignit, se jeta à son cou et l'embrassa ; ils pleurèrent. Puis Ésaü leva les yeux et vit les femmes et les enfants. Il dit : « Qui as-tu là ?» « Les enfants que Dieu a accordés à ton serviteur », répondit Jacob.

Genèse 33, 4-5

Les jours d'Isaac furent de cent quatre-vingts ans ; Isaac expira,
il mourut et fut réuni aux siens, âgé et comblé de jours. Ses fils
Ésaü et Jacob l'ensevelirent.

Genèse 35, 28-29

POSTFACE

L'auteur à ses lecteurs

S'enracinant dans la mémoire archaïque de l'humanité, la métaphore biblique d'Abraham et Isaac – sujet et prétexte de mon roman – nous est parvenue selon l'interprétation mythico-idéologique en cours pendant le premier millénaire avant Jésus-Christ.

Ce mythe contient sans doute de bien curieuses suggestions pour tous les Néron, Staline ou Eichmann, pour tous ceux qui savent ou peut-être voudraient commettre des atrocités sans éprouver le moindre sentiment de culpabilité. Il semble les autoriser à lever le couteau sur leurs frères, Dieu pouvant toujours, s'il n'est pas d'accord, retenir leur main. Nous ne connaîtrons peut-être jamais le rôle qu'ont joué dans l'extermination de millions d'hommes et de femmes, d'une part, la foi d'Abraham en la toute-puissance d'un Dieu vengeur qui exige qu'on lui sacrifie des êtres humains, et d'autre part, l'acceptation de la souffrance par un Isaac, un Jésus, ou un Job. (Le soulèvement du ghetto de Varsovie, tout en constituant une exception, montre que la soumission, l'acceptation muette de la souffrance n'est pas une nécessité fatale.) Par ailleurs, nous savons que, pour accomplir avec une précision hitlérienne sa tâche diabolique, Eichmann étudiait assidûment les textes bibliques.

Mais quel pouvait être le sens de ces mythes au moment où ils sont nés ? En quoi ont-ils influencé notre culture occidentale au cours des derniers millénaires ?

Pour nous débarrasser, au seuil de ce troisième millénaire, de la haine et du culte de la souffrance qui traversent notre passé, nous devons les reconsidérer à la lumière de notre savoir actuel. Nous avons accumulé suffisamment de tragédies au cours de notre histoire pour comprendre que nous ne pouvons pas compter sur l'intervention de Dieu. Ne cherchons pas à lui faire endosser la responsabilité de nos crimes ! Depuis qu'Il nous a chassés du Paradis, le Seigneur des Écritures nous considère comme des êtres adultes. Si nous voulons construire notre avenir, il nous faut admettre, aussi pénible que ce soit, qu'aucun ange gardien ne veille sur nous. Ceux qui, avec la Bible, nous ont transmis l'histoire d'Abraham et Isaac, savaient fort bien qu'aucun père sain d'esprit ne peut tuer son fils. Mais nous, qui avons vécu la Seconde Guerre mondiale et assisté, aux portes des Balkans, aux horreurs perpétrées dans cette partie de l'Europe, nous savons qu'aucun pouvoir céleste n'a pu et ne pourra jamais retenir la main de l'Homme, toujours prêt à commettre les pires atrocités.

Certes, il a pu arrêter celle d'Abraham.

Ce qui empêche les primates et la plupart des mammifères d'attenter à la vie de leurs congénères, ce qui empêcha l'Homme de le faire avant qu'il ne fût chassé du Paradis, ce n'est ni une force extérieure ou supérieure ni un ange quelconque, mais une information inscrite dans le code génétique. Sans quoi, avec notre taux de reproduction, si faible en comparaison de celui d'autres espèces animales, nous n'aurions jamais pu survivre et peupler la terre. Le loup victorieux n'égorge pas son compagnon vaincu. « Tu ne tueras point ! » Cette interdiction encodée dans nos gènes et que l'on appelle aussi bonté, conscience morale, générosité ou sentiment chevaleresque, était, autrefois, sans doute universellement respectée. L'ange gardien de la Bible est peut-être l'allégorie, l'illustration de cette inhibition génétique.

Mais les choses ne sont pas aussi simples et cette première hypothèse n'est pas parfaite. L'Homme a aussi créé le beau mythe, aussi contestable que consolateur, de la « souffrance rédemptrice ». Or, aucune souffrance, celle des humains pas plus que celle des dieux, ne peut « racheter » le monde. L'éloge de la douleur peut aider la victime à la supporter et le tortionnaire à perfectionner ses méthodes, mais, au lieu de conduire l'humanité au royaume des cieux, il la précipite dans un enfer terrestre. Car seul notre désir de justice nous fait croire que la souffrance est capable d'« élever l'âme ». Certes, elle peut nous aguerrir, nous communiquer la force qui nous permet de supporter d'autres souffrances, mais, la plupart du temps, on utilise cette force à aggraver plutôt qu'à diminuer la souffrance d'autrui. Le progrès ne consiste pas à accepter la douleur, mais à chercher à en supprimer la cause et à en atténuer les effets. Ce n'est pas la patiente résignation d'un Job qui est à l'origine de la médecine.

Dire que l'Homme est cruel, c'est énoncer un lieu commun, mais ce lieu commun représente un danger pour l'existence de l'humanité. Il ne faut pas espérer que la férocité de l'homme disparaîtra d'elle-même ou grâce à une intervention divine. Aucune religion, aucune foi institutionnalisée, aucune pensée ou croyance ne pourra jamais nous rendre notre innocence primitive, ni nous reprendre ce savoir « satanique », susceptible de lever nos inhibitions génétiques, de tuer en nous le respect de la vie humaine.

En vain avons-nous espéré, au lendemain de la Seconde Guerre mondiale que, tel un système immunitaire, l'immensité des souffrances endurées et des dévastations accomplies nous préserverait à jamais du retour de la guerre et nous assurerait la paix éternelle. Aujourd'hui, au moment où l'Homme s'abandonne aux promesses les plus démagogiques et recourt à des formes de plus en plus horribles de la cruauté humaine, nous risquons tout simplement l'anéantissement de notre espèce. Rien, aucune intervention divine ne pourra empêcher quelque dictateur – élu ou non – d'instrumentaliser notre méfiance, toujours prompte à se métamorphoser en peur ou en haine (les deux mots ne couvrent-ils pas un seul et même champ notionnel ?).

Nous n'avons peut-être jamais connu une situation aussi dangereuse. Médecins apportant la mort à domicile ou prêtres d'une secte apocalyptique venus administrer l'extrême-onction, la télévision et l'Internet, de plus en plus répandus, pénètrent dans nos foyers avec leur cortège de haine et de violence. Il n'est pas besoin d'une grande armée : une poignée de terroristes fanatiques munis d'armes atomiques ou bactériologiques peut suffire à accomplir des actes bien plus meurtriers que ceux perpétrés par les armées d'autrefois ou par la peste et le choléra.

Depuis des millénaires, judaïsme, bouddhisme, christianisme et islamisme se sont montrés incapables d'éradiquer la cruauté institutionnalisée, de conjurer le danger que l'humanité représente pour elle-même et de préserver dans notre espèce cet instinct de conservation qu'ont acquis la plupart des êtres vivants au cours de leur évolution. Il est de notre devoir de résoudre l'énigme que constituent notre cruauté et ses manifestations périodiques.

Certains pensent que l'instinct meurtrier nous est inné, que nous le portons dans nos gènes.

Biologiste, j'ai passé une quarantaine d'années à étudier les fonctions vitales de l'homme. Je dois mes résultats à la compréhension de l'évolution de notre espèce et à l'étude des ressemblances et des différences qui en découlent entre les races humaines. Or, à mes yeux, la fureur guerrière et son corollaire, l'extermination massive, ne sauraient être d'origine génétique. Une espèce comme la nôtre, dont les individus s'entre-tuent si souvent et que caractérise un si faible taux de reproduction (en raison des dimensions du cerveau, de l'inadaptation du nouveau-né à la vie et de la longueur de la période nécessaire pour son éducation à l'autonomie), n'a pas dû sa survie à la seule évolution biologique. Pour accroître ses chances, l'être humain a eu besoin d'une évolution sociale fondée sur l'attrait mutuel des sexes et la stabilité du couple, dont la durée dépasse de loin celle de l'accouplement.

Il s'ensuit que les dangers qui menacent nos chances de survie – la longue série de tragédies que comporte l'histoire de l'humanité – ne sont pas dus à des facteurs innés, mais s'expliquent par des comportements acquis au cours de l'évolution. Or, une telle « acquisition » n'était possible que grâce au don de la parole et de l'écriture, don que nous ne partageons avec aucune autre espèce vivante, y compris avec les primates. Plus que la faculté de confectionner et d'utiliser des instruments (présente également chez d'autres espèces animales), la parole et l'écriture qui en décuple l'efficacité ont joué un rôle essentiel dans l'apparition de la cruauté, si contraire à nos données génétiques, permettant à l'Homme à la fois d'influencer et de dévoyer ses semblables.

Ainsi, la cruauté est un fait culturel issu de mythologies qui ont nourri notre héritage intellectuel, religieux, sentimental et moral. Malgré la présence de quelques éléments venus du paganisme, la culture occidentale, et plus particulièrement judéo-chrétienne, se fonde essentiellement sur la Bible, dont les récits et les enseignements ont profondément imprégné notre façon de voir. (D'autres livres sacrés ont d'ailleurs joué un rôle analogue dans d'autres cultures.) Or, il n'est pas difficile d'y découvrir les sources de la cruauté humaine.

Déjà, le premier livre du Pentateuque, celui de la Genèse, sans doute le premier monument écrit de la culture occidentale, parle de guerres et évoque d'autres formes préméditées du meurtre. Le récit allégorique du serpent qui trompe Ève et la conduit sur le chemin du Mal est le récit d'une tromperie. Et voilà qu'il déclenche la première agression verbale : Dieu chasse l'Homme du Paradis. Et voilà que, dans la main du chérubin, apparaît la première épée « pour garder le chemin de l'arbre de vie ». Autrement dit : la tromperie, l'agression et l'épée ne furent pas inventées par l'Homme, celui-ci en fut plutôt la victime. Si nous ne savions pas que les mythologies sont d'origine humaine, nous pourrions y voir la preuve que le mensonge, l'agression et l'usage des armes ne relèvent pas de la nature de l'Homme ou, plus précisément, qu'ils n'ont pas paru tels à ceux qui ont consigné ces récits mythiques. À leurs yeux, la violence de l'Homme n'est pas innée, elle n'est pas attribuable à Dieu. Ce n'est pas nous, mais le serpent qu'Il crée avec une langue bifide, ce n'est pas entre nos mains, mais entre celles des chérubins et des archanges qu'Il met la première épée.

Autant dire qu'il serait trop facile d'attribuer à l'évolution génétique cette implacable cruauté, dans l'étreinte de laquelle nous nous débattons depuis des temps immémoriaux. Il ne s'agit pas là d'un héritage biologique, mais d'un héritage culturel.

Comment la culture a-t-elle pu l'emporter sur cette inhibition génétique dont nous sommes porteurs, qui marque en même temps l'aboutissement d'une évolution biologique et qui devrait (à l'instar du loup) nous empêcher d'anéantir nos congénères ?

Élevé au sein d'une famille profondément catholique, c'est dans les récits bibliques que j'ai rencontré pour la première fois la cruauté humaine. Cette découverte brouilla considérablement l'idée que je me faisais de Dieu. (Pour tout enfant, et surtout pour tout garçon, l'histoire d'Isaac et Ismaël représente un événement traumatisant. À cette époque, en 1944, de nombreux enfants juifs avaient été sauvés grâce, précisément, au refus de l'holocauste, à l'exil et au courage de ceux qui avaient accepté de les cacher. Mais, par ailleurs, plusieurs centaines de milliers de Juifs hongrois avaient été exterminés !) D'abord refoulé, le souvenir de ce traumatisme provoqué par la cruauté d'Abraham a resurgi plus tard avec une telle force que j'ai dû, toutes affaires cessantes, chercher à comprendre ce mystère. On pourra m'objecter que la cruauté humaine s'abreuve à de nombreuses sources, mais c'est dans le livre de la Genèse que je crois avoir découvert ses racines les plus profondes.

Trouvant des traductions institutionnelles dans la « civilisation », l'exercice de la cruauté est resté pendant longtemps le privilège de l'Église, de l'État et des couronnes (je ne chercherai pas à définir les responsabilités respectives des pouvoirs séculier et ecclésiastique dans les châtiments – écartèlement, pendaison, etc. – infligés aux sceptiques, aux magiciens, ou aux enfants voleurs de pain). Depuis quelques siècles, quiconque détient une parcelle du pouvoir (seigneur, marchand d'esclaves, propriétaire de terres et de mines, maffioso, etc.) peut avoir accès aux instruments nécessaires pour l'exercice de la cruauté. Aujourd'hui, la démocratie ayant fait des progrès, la violence est, pour ainsi dire, à la portée de chacun : les armes abondent, la télévision incite à s'en servir, n'importe quel téléspectateur est en mesure d'acquérir une expertise dans l'art de la torture, bien supérieure à celle des inquisiteurs. Dans les jeux vidéo, l'enfant n'a que l'embarras du choix parmi les diverses façons de donner la mort : un menu lui permet d'envisager tour à tour la décapitation, l'écartèlement, etc., le rendant insensible à l'horreur ainsi banalisée. Nous savons à quoi cela peut aboutir… La cruauté et son acceptation résignée gagnent du terrain, et ce, non seulement sur la surface du globe, mais aussi dans les esprits. Voilà pourquoi le chercheur en médecine que j'ai été traque méthodiquement les origines de cette mentalité : aucune pathologie n'entraîne plus de souffrances, plus de morts que celle-là.

Après avoir publié de nombreux articles et ouvrages portant sur mes recherches biomédicales, je suis revenu à la littérature. Désormais, je vais consacrer mes réflexions aux causes de la violence et aux moyens de l'éradiquer, dans l'espérance que mes propres expériences, mon propre vécu historique me permettraient d'aller au fond du problème. L'histoire d'Abraham et Isaac me poursuit depuis le catéchisme, depuis cette première image religieuse aperçue dans une Bible illustrée. Mais c'est en contemplant le tableau de Rembrandt qui se trouve au musée de l'Ermitage de Saint-Pétersbourg que j'ai compris l'importance de cette métaphore fondatrice de la civilisation occidentale, et qui est à la base de notre pensée religieuse, de notre conception de Dieu, de la religion, de la morale… et de la justification de la cruauté humaine.

J'avais d'abord songé – peut-être pour surmonter le choc émotionnel qu'elle produisit sur moi – à consacrer un essai à cette question. Mais la nécessité de comprendre le contexte spatio-temporel, l'esprit des lieux et de l'époque m'a conduit à choisir la forme romanesque. Il me fallait revivre l'histoire d'Abraham et d'Isaac et, pour cela, me mettre littéralement à leur place.

Le premier livre de la Bible, la Genèse, ne dit rien des sentiments, des remords et des regrets des personnages qu'il met en scène. On trouve quelques vagues allusions à de tels aspects dans certains écrits rabbiniques et dans les légendes de la littérature postbiblique que Louis Ginzberg, qui en a recueilli un très grand nombre, qualifie de « fantasmagories poétiques », expression que le grand orientaliste hongrois Géza Komoróczy, éminent spécialiste du judaïsme et de la langue hébraïque, a reprise à propos de certains passages de mon livre. Toutes les interprétations – y compris, sans doute, la mienne – portent les marques de leur époque. Selon certains, Isaac aurait participé avec empressement à l'exécution du projet diabolique de son père en lui demandant de le ligoter, de peur qu'il ne gêne, par ses mouvements, le bon déroulement du sacrifice. Bien entendu, le premier livre de la Genèse n'en dit rien, pas plus que de la réconciliation entre le père et le fils. J'ai dû revivre d'innombrables fois la scène terrifiante qui se joua sur la montagne de Moriyya, la peur d'Isaac et cette transe extatique d'Abraham, que seule la crainte de Dieu peut décider à poignarder son propre fils bien-aimé (à mon avis, pour attenter à la vie de son fils, le père doit être dans un état second). La Bible rapporte ces événements avec une froide objectivité, avec cette même indifférence avec laquelle nous parcourons la rubrique des faits divers, pourtant émaillée de meurtres. C'est que, pour réussir à nous émouvoir, il faut un spectacle d'une violence exceptionnelle.

Pour comprendre ce mythe idéologique, fondateur de notre image de la divinité judéo-chrétienne (et de nos rapports à elle), de cette Providence qui voit et guide chacun de nos actes, qui est notre allié ou notre adversaire tout-puissant et qui peut nous ordonner jusqu'au sacrifice de notre fils, il m'a fallu écrire un roman permettant de revivre les sentiments qu'éveille en nous ce passage (et bien d'autres, tout aussi cruels) du livre de la Genèse.

Ce Dieu a refusé à Adam et à Ève le droit de participer de la sagesse divine, de vivre, dans l'Éden, en harmonie avec la nature. Et c'est au serpent, créature de rang inférieur, qu'il a confié le soin de nous introduire à la connaissance. Ce serpent nous a conduits sur le chemin de la fausse science et des fausses croyances, jusqu'à ce que les derniers siècles écoulés nous aient fait accéder au vrai savoir et débarrassés de certaines de nos craintes. Chemin difficile, semé d'embûches, mais, au seuil du troisième millénaire, il est permis d'espérer que le vrai savoir nous permettra de vivre en harmonie avec la nature, de nous retrouver au jardin d'Éden, responsables de nous-mêmes et de notre planète…

Moïse erra pendant quarante ans dans le désert avec son peuple, faute d'avoir trouvé un endroit où vivre en paix. Moins exigeants, ses successeurs, persuadés que l'Alliance d'Abraham avec le Tout-Puissant les protégerait contre les forces du Malin, n'éprouvèrent pas le besoin de se purifier ni d'errer pendant quarante ans dans le désert en attendant de trouver la sagesse qui leur ouvrirait les portes de l'Éden.

Moïse est, de toute évidence, l'incarnation symbolique

d'Abraham. Le premier codifia l'Alliance que ce dernier avait conclu avec le Dieu unique, mais aucun des deux ne connut Canaan, la terre promise. Quant à Jésus, n'est-il pas la réincarnation d'Isaac ? Sa conception est annoncée à Marie par un ange, comme celle d'Isaac l'est à Sara (le moment biologique de ces conceptions est occulté, c'est un secret). Quant à leur naissance, elle constitue un miracle. Selon les Saintes Écritures, Jésus fut mis au monde par une vierge et Isaac par une vieille femme restée jusqu'alors stérile. Autre parallélisme de valeur symbolique : tous deux sont sacrifiés sans pour autant disparaître : l'ange, au dernier moment, sauve la vie d'Isaac et Jésus est ressuscité.

Avons-nous vraiment compris le sens de la vie et de la crucifixion de Jésus ?

Nous ne connaissons sa vie que d'après les récits des quatre évangélistes, qui ne constituent qu'une minorité parmi les apôtres. Et ces récits sont sans doute incomplets : leurs auteurs sont de sexe masculin, comme l'immense majorité des exégètes qui, au cours des deux millénaires suivants, se sont penchés sur ces textes. Or, selon le témoignage de ces mêmes Évangiles, Jésus tenait absolument à ce que Marie et sa sœur Marthe assistent à ses sermons. De plus, Marie-Madeleine qui fut la première à recevoir sa visite après la Résurrection, était sans doute sa disciple la plus chère et peut-être la plus importante. Or, l'Écriture ne révèle rien de ce que Jésus dit à Marie-Madeleine après sa résurrection. (Avec son Dieu exclusivement masculin, la Genèse ne reflète-t-elle pas le modèle patriarcal en tant que système de pouvoir, vision du monde et image de l'Homme ?)

Pour comprendre la signification, à l'esprit de l'homme de nos jours, du message de Jésus, il nous faut nous interroger sur son précurseur, Isaac. Comment celui-ci voyait-il le rapport entre l'Homme et son Créateur ? Quelle idée se faisait-il d'Adam, d'Ève, de Noé, de la tour de Babel, de l'image de Dieu chez Abraham ? Que savait-il de ce qui allait fonder l'image de Dieu dans la pensée judéo-chrétienne et le caractère divin de Jésus ? Pourquoi a-t-il voulu donner sa bénédiction à Ésaü auquel Jacob, pour un plat de lentilles, avait volé son droit d'aînesse ? Quant à Jésus, pourquoi, trois jours après sa crucifixion, ayant quitté le silence de la tombe, si propice à la méditation, s'empressa-t-il de retrouver Marie-Madeleine au lieu d'aller trouver Pierre ?

Avant d'essayer d'imaginer l'héritage spirituel qu'Isaac nous aurait laissé s'il avait eu la possibilité de coucher ses pensées sur du papier, c'est le présent roman que j'ai dû écrire. Il m'a permis de comprendre l'univers sentimental et intellectuel d'Isaac, de cet homme extraordinaire dont l'Écriture parle si peu, car ceux qui consignèrent l'histoire de son sacrifice, cette grande métaphore, étaient incapables de saisir la véritable portée de cet acte cruel. En effet, ce sacrifice (qu'Abraham fut empêché d'accomplir par la seule volonté de Dieu) est le modèle, le prototype de toutes les atrocités perpétrées ultérieurement par les hommes au nom de Dieu. Y compris la crucifixion de Jésus.

De même, l'expulsion d'Ismaël est, par excellence, un sujet de roman. L'Écriture étant muette au sujet des répercussions de cet acte sur Abraham, Isaac ou sur Ismaël lui-même et les rapports que ces deux peuples allaient entretenir, c'est l'imagination du romancier qui est appelée à combler cette lacune.

Le choc qu'a subi Isaac ne peut qu'en faire un être gravement traumatisé, une sorte de mutilé sentimental ou au contraire un homme d'un caractère de fer, d'une richesse intérieure et d'une curiosité intellectuelle extraordinaires, bien supérieures à celles d'autres prophètes. Au fur et à mesure que j'avançais dans l'écriture de mon roman, la figure d'Isaac revêtait de plus en plus les traits d'un prophète. En avance sur son époque, il ne peut léguer sa sagesse et son savoir à un Jacob, coupable d'avoir rusé pour obtenir son droit d'aînesse et la bénédiction de son père mourant (avant de dépouiller son beau-père de sa fortune). La lutte pour sa vie sur la montagne de Moriyya lui ayant ouvert les yeux et le cœur, Isaac a acquis une profonde compréhension de l'existence et de la condition humaines, un savoir qu'il ne peut partager avec un Jacob faible et sournois. La terreur qu'inspiraient les mystères de la nature à la plupart des hommes de cette époque empêchaient ceux-ci de comprendre l'essence du Dieu créateur, aussi bien les instincts bestiaux inscrits dans nos cellules – est-ce là le « péché originel » ? – que la raison, cette faculté de notre cerveau – serait-ce ce qu'on appelle Rédemption ?

Mais nous, hommes et femmes d'aujourd'hui qui ne redoutons plus (autant ?) la nature dont nous avons percé la plupart des secrets, sommes-nous suffisamment armés pour interpréter correctement le symbole d'Éden ? Correctement, c'est-à-dire à la façon de cet Isaac qui pense en moi et pour qui l'Éden représente l'enfance heureuse de l'humanité, l'époque où nous vivions encore en paix et en harmonie avec la nature. Notre bienheureuse ignorance aurait-elle pu perdurer ? Non, car le désir de savoir – qu'on l'appelle curiosité ou fascination exercée par le serpent – fait partie intégrante de la nature humaine.

L'Éden représente une étape de notre évolution, celle où, ayant appris à nous dresser sur nos jambes pour marcher, nous nous distinguions déjà des autres espèces animales, sans pour autant être conscients de notre nudité et de notre caractère mortel. Peut-être n'avions-nous pas encore l'ambition de dominer la nature et nos congénères ? N'étant pas encore « surpeuplé », l'Éden subvenait à nos besoins, sans que nous eussions à travailler « à la sueur de notre front », à nous battre entre nous pour conquérir pâturages et terrains de chasse, à l'instar d'un Caïn agriculteur qui, plus tard, lèverait la main sur Abel, le berger. Ignorant la crainte d'autrui – peut-être parce que nous n'étions pas encore bien nombreux sur la terre – nous n'avions alors pas besoin d'un Dieu à notre image, ami ou ennemi suivant qu'il serait ou non satisfait du sacrifice accompli à son intention.

Impossible, désormais, de revenir à l'ignorance paradisiaque ; nous avons sacrifié ce bonheur originel au Savoir, lequel nous a offert une forme d'Éden qui paraissait plus sûre que l'autre. Au seuil du troisième millénaire, nous ne souffrons plus de l'ignorance ou de la peur des forces mystérieuses de la nature, mais de la science mal utilisée, dépourvue de sagesse, de notre capacité de destruction grâce à la force atomique qui jette une ombre sur notre avenir. Nous avons conquis le Savoir, mais où est l'Éden ? Avec les vastes connaissances que nous avons accumulées, pourrons-nous un jour accéder au nouveau Paradis, à l'harmonie avec la nature ?

Les auteurs du récit hautement symbolique de l'arbre de la science et de notre expulsion comprenaient sans doute que le chemin conduisant au savoir est parsemé de dangereux pièges.

Isaac entrevoit les dangers de plus en plus menaçants que recèlent nos conflits et nos guerres. Notre savoir s'accroît bien plus vite que notre sagesse, indispensable à l'obtention de l'harmonie. Isaac comprend que si les adorateurs du Dieu d'Abraham, friand d'êtres humains, invoquent la puissance divine, c'est pour mieux subjuguer leurs semblables. Ce Dieu est au service de leur soif de pouvoir. C'est pourquoi, plutôt que de transmettre son savoir à Jacob, ce traître hypocrite qui servira d'exemple pendant des millénaires à la majorité de l'humanité, il va choisir Ésaü, homme fort et libre, attaché à la nature. Bien qu'ayant découvert la supercherie de Jacob, Isaac, indulgent envers les hommes de son époque dépourvus aussi bien de savoir que de sagesse, ne lui retire pas sa bénédiction. Mais c'est d'un autre allié qu'il a besoin, d'un allié qui le dépasse et qu'il puisse à la fois craindre et adorer. À la fin de sa vie, Isaac s'apprête donc à transmettre sa sagesse à Ésaü, l'enfant de l'avenir, un être autonome qui adore le Créateur à travers ses créatures, qui refuse de se créer un Dieu implacable, assoiffé de pouvoir et de chercher à dominer ainsi les autres hommes en jugeant leur Dieu inférieur au sien.

La Bible, je le répète, ne nous apprend à peu près rien des intentions et des sentiments des personnages qu'elle met en scène. J'ai bâti mes hypothèses sur les passages de la Genèse précédant l'histoire d'Abraham, sans prendre en compte les textes ultérieurs. Je pense en effet qu'avant d'être écrits (entre le IXe et le VIe siècle avant notre ère), les récits bibliques se transmettaient oralement. Autrement dit, parmi les événements relatés par la Genèse, seuls ceux qui sont antérieurs à la naissance d'Abraham ont pu influencer les rapports de celui-ci avec Dieu et les autres hommes. Par rapport aux milliards d'années que compte l'histoire de l'évolution de l'humanité, le temps qui s'est écoulé depuis Abraham ne représente que quelques secondes. Durant ce bref laps de temps, notre nature, nos sentiments et nos facultés intellectuelles se sont peu (ou pas du tout) modifiés (n'oublions pas, toutefois, que les diverses croyances autorisent – ou interdisent – divers comportements). Dans son enfance, l'humanité redoutait l'inconnu, source d'innombrables souffrances. Elle ignorait l'origine des fléaux naturels (inondations, épidémies, etc.) qu'elle attribuait naturellement aux dieux ou, ce qui est encore plus terrifiant, à un Dieu unique. L'enfant, terrorisé par l'orage, les éclairs et les coups de tonnerre, comprend certainement mieux que l'adulte l'impuissance de l'homme primitif devant le déchaînement de la nature, son besoin de prier et d'offrir des sacrifices à une puissance surnaturelle.

Je travaille à un autre roman, intitulé *L'Enseignement d'Isaac*. Le fils d'Abraham, devenu à son tour patriarche, y cherche à comprendre (et à faire comprendre à son propre fils) la tragédie de l'Homme ayant croqué la pomme du Savoir. Pourquoi l'Homme n'a-t-il pas pu se contenter de l'amour du Créateur, pourquoi lui faut-il servir les dieux de la destruction et de la vengeance ? Et comment retrouver le chemin de l'Éden ? Comment obtenir une harmonie désormais confortée par le savoir ?

Dans le roman que vous tenez entre les mains, ce sont les motifs ayant poussé Abraham à chasser Ismaël et à sacrifier Isaac qui ont retenu mon attention, ainsi que le rôle joué par la cruauté (suggérée par Dieu ?) dans la vie et dans la mission d'Isaac.

AGMV Marquis

MEMBRE DE SCABRINI MEDIA

Québec, Canada
2003